어휘가
문해력
이다

초등 3학년 2학기

교과서 어휘

교과서 내용을 이해하지 못하는 우리 아이?
평생을 살아가는 힘, '문해력'을 키워 주세요!

'어휘가 문해력이다'
어휘 학습으로 문해력 키우기

1 교과서 학습 진도에 따라
과목별(국어/사회/수학/과학)·학기별(1학기/2학기)로 어휘 학습이 가능합니다.

교과 학습을 위한 필수 개념어를 단원별로 선별하여 단원의 핵심 내용을 이해하도록 구성하였습니다.
교과 학습 전 예습 교재로, 교과 학습 후 복습 교재로 활용할 수 있도록 필수 개념어를 엄선하여 수록
하였습니다.

2 교과 어휘를 학년별 2권, 한 학기별 4주 학습으로
단기간에 어휘 학습이 가능합니다.

한 학기에 310여 개의 중요 단어를 공부할 수 있습니다.
쉬운 뜻풀이와 교과서 내용을 담은 다양한 예문을 수록하여 학교 공부에 직접적으로 도움을 주고자
하였습니다.
해당 학기에 학습해야 할 중요 단어를 모두 모아 한 번에 살펴볼 수 있고, 국어사전에서 단어를 찾는
시간과 노력을 줄일 수 있습니다.

3 관용어, 속담, 한자 성어, 한자 어휘 학습까지 가능합니다.

글의 맥락을 이해하고 응용하는 데 도움이 되는 관용어, 속담, 한자 성어뿐만 아니라 초등에서 중학
교육용 필수 한자 어휘 학습까지 놓치지 않도록 구성하였습니다.

4 확인 문제와 주간 어휘력 테스트를 통해 학습한 어휘를 점검할 수 있습니다.

뜻풀이와 예문을 통해 학습한 어휘를 교과 어휘별로 바로바로 점검할 수 있도록 다양한 유형의 확인
문제를 수록하였습니다.
한 주 동안 학습한 어휘를 종합적으로 점검할 수 있는 주간 어휘력 테스트를 수록하였습니다.

5 효율적인 교재 구성으로 자학자습 및 가정 학습이 가능합니다.

학습한 어휘를 해당 교재에서 쉽게 찾아볼 수 있도록 과목별로 '찾아보기' 코너를 구성하였습니다.
'정답과 해설'은 축소한 본교재에 정답과 자세한 해설을 실어 스스로 공부할 수 있도록 하였습니다.

EBS ⟨당신의 문해력⟩ 교재 시리즈는 약속합니다.

교과서를 잘 읽고 더 나아가 많은 책과 온갖 글을 읽는 능력을 갖출 수 있도록
문해력을 이루는 핵심 분야별, 학습 단계별 교재를 준비하였습니다.
한 권 5회×4주 학습으로 아이의 공부하는 힘,
평생을 살아가는 힘을 EBS와 함께 키울 수 있습니다.

어휘가 문해력이다

어휘 실력이 교과서를 읽고 이해할 수 있는지를 결정하는 척도입니다.
⟨어휘가 문해력이다⟩는 교과서 진도를 나가기 전에 꼭 예습해야 하는 교재입니다.
20일이면 한 학기 교과서 필수 어휘를 완성할 수 있습니다.
교과서 수록 필수 어휘들을 교과서 진도에 맞춰
날짜별, 과목별로 공부하세요.

쓰기가 문해력이다

쓰기는 자기 생각을 표현하는 미래 역량입니다.
서술형, 논술형 평가의 비중은 점점 커지고 있습니다.
객관식과 단답형만으로는 아이들의 생각과 미래를 살펴볼 수 없기 때문입니다.
막막한 쓰기 공부. 이제 단어와 문장부터 하나씩 써 보며 차근차근 학습하는
⟨쓰기가 문해력이다⟩와 함께 쓰기 지구력을 키워 보세요.

ERI 독해가 문해력이다

독해를 잘하려면 체계적이고 객관적인 단계별 공부가 필수입니다.
기계적으로 읽고 문제만 푸는 독해 학습은 체격만 키우고 체력은 미달인 아이를 만듭니다.
⟨ERI 독해가 문해력이다⟩는 특허받은 독해 지수 산출 프로그램을 적용하여 글의 난이도를
체계화하였습니다.
단어·문장·배경지식 수준에 따라 설계된 단계별 독해 학습을 시작하세요.

배경지식이 문해력이다

배경지식은 문해력의 중요한 뿌리입니다.
하루 두 장, 교과서의 핵심 개념을 글과 재미있는 삽화로 익히고 한눈에 정리할 수 있습니다.
시간이 부족하여 다양한 책을 읽지 못하더라도 교과서의 중요 지식만큼은 놓치지 않도록
⟨배경지식이 문해력이다⟩로 학습하세요.

디지털독해가 문해력이다

디지털독해력은 다양한 디지털 매체 속 정보를 읽어 내는 힘입니다.
아이들이 접하는 디지털 매체는 매일 수많은 정보를 만들어 내기 때문에
디지털 매체의 정보를 판단하는 문해력은 현대 사회의 필수 능력입니다.
⟨디지털독해가 문해력이다⟩로 교과서 내용을 중심으로 디지털 매체 속 정보를 확인하고
다양한 과제를 해결해 보세요.

이 책의 구성과 특징

1

교과서 어휘 국어/사회/수학/과학

교과목·단원별로 교과서 속 중요 개념 어휘와 관련 어휘로 교과 어휘 강화!

한자 어휘

초등·중학 교육용 필수 한자, 연관 한자어로 한자 어휘 강화!

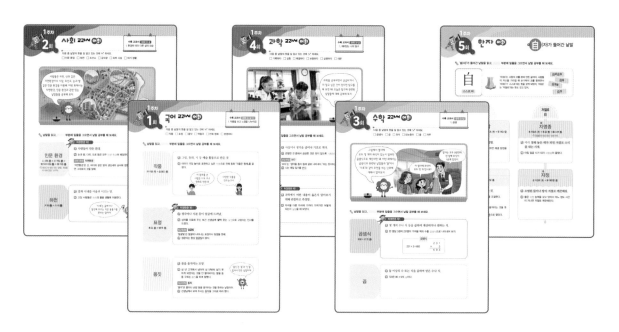

- 교과서 속 핵심 어휘를 엄선하여 교과목 특성에 맞게 뜻과 예문을 이해하기 쉽게 제시했어요.
- 어휘를 이해하는 데 도움이 되는 그림 및 사진 자료를 제시했어요.
- 대표 한자 어휘와 연관된 한자 성어, 초등 수준에서 꼭 알아야 할 속담, 관용어를 제시했어요.

2

확인 문제

교과서(국어/사회/수학/과학) 어휘, 한자 어휘 학습을 점검할 수 있는 다양한 유형의 확인 문제 수록!

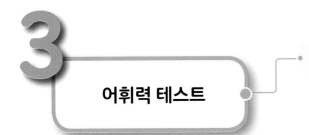

3 어휘력 테스트

한 주 동안 학습한 교과서 어휘, 한자 어휘를 종합적으로 점검할 수 있는 어휘력 테스트 수록!

다양한 유형의 어휘 문제로 한 주 마무리!

학습한 어휘를 찾아보기 쉽게 교과목별 ㄱ, ㄴ, ㄷ … 순서로 정리했어요.

찾아보기

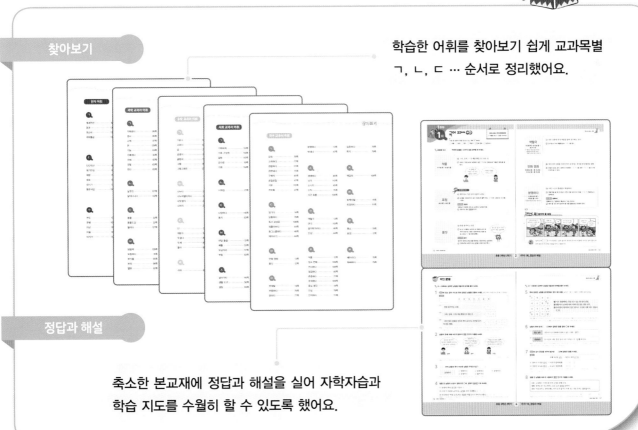

정답과 해설

축소한 본교재에 정답과 해설을 실어 자학자습과 학습 지도를 수월히 할 수 있도록 했어요.

초등 3학년 2학기
교과서 연계 목록

✏️ 『어휘가 문해력이다』 초등 3학년 2학기에 수록된 모든 어휘는 초등학교 3학년 2학기 국어, 사회, 수학, 과학 교과서에 실려 있습니다.

✏️ 교과서 연계 목록을 살펴보면 과목별 교과서의 단원명에 따라 학습할 교재의 쪽을 한눈에 파악할 수 있습니다.

✏️ 교과서 진도 순서에 맞춰 교재에서 해당하는 학습 회를 찾아 효율적으로 공부해 보세요!

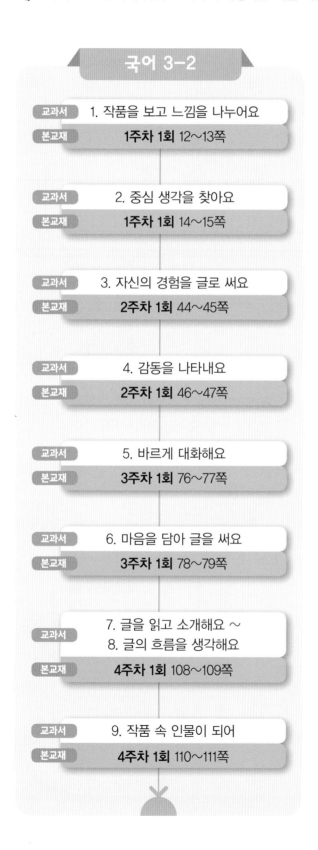

이 책의 차례

1주차 어휘 미리 보기

한 주 동안 공부할 어휘들이야. 쓱 한번 훑어볼까?

1회 학습 계획일 ◯월 ◯일

국어 교과서 어휘

작품	중심 생각
표정	담기다
몸짓	반대말
역할극	관련되다
만화 영화	수칙
분명하다	토박이말

3회 학습 계획일 ◯월 ◯일

수학 교과서 어휘

곱셈식	나눗셈식
곱	나머지
좌석	나누어떨어지다
모눈종이	나누다
줄	모둠
자루	세로

2회 학습 계획일 ◯월 ◯일

사회 교과서 어휘

인문 환경	의식주
하천	의생활
조선소	챙
강수량	식생활
숙박 시설	주생활
여가 생활	너와집

4회

학습 계획일 ◯월 ◯일

과학 교과서 어휘

기록하다	동물
실험	동물도감
해결하다	확대경
보충하다	사막
실행하다	호숫가
의문	헤엄치다

5회

학습 계획일 ◯월 ◯일

한자 어휘

자문자답	일석이조
자동	일회용
자명종	일체
자정	일임

어휘력 테스트

2주차 어휘 학습으로 가 보자!

국어 교과서 어휘

다음 중 낱말의 뜻을 잘 알고 있는 것에 ✓ 하세요.

□ 작품　□ 표정　□ 몸짓　□ 역할극　□ 만화 영화　□ 분명하다

✎ 낱말을 읽고, 　　　부분에 밑줄을 그으면서 낱말 공부를 해 보세요.

작품
作 지을 작 + 品 물건 품

뜻 그림, 동화, 시 등 예술 활동으로 만든 것.

예 이야기 극장 놀이로 표현하고 싶은 작품으로 전래 동화 「의좋은 형제」를 골랐다.

> 이 동화를 쓴 사람은 시도 쓰고 영화도 만든대.

> 다양한 작품을 만드는구나.

표정
表 겉 표 + 情 뜻 정

이것만은 꼭!

뜻 생각이나 기분 등이 얼굴에 드러남.

예 상처를 치료해 주신 보건 선생님께 활짝 웃는 표정으로 고맙다는 인사를 드렸다.

비슷한말 얼굴빛

'얼굴빛'은 얼굴에 나타나는 표정이나 빛깔을 뜻해.
예 정운이는 항상 얼굴빛이 밝다.

몸짓

뜻 몸을 움직이는 모양.

예 삼 년 고개에서 넘어져 삼 년밖에 살지 못하게 되었다는 것을 안 할아버지는 발을 동동 구르는 몸짓을 하며 말했다.

비슷한말 동작

'동작'은 몸이나 손발 등을 움직이는 것을 뜻하는 낱말이야.
예 선생님께서 보여 주시는 동작을 그대로 따라 했다.

> '몸짓'은 '몸'과 '짓'을 합쳐서 만든 낱말이야.

역할극

役 일할 역 + 割 나눌 할 +
劇 연극 극
'역(役)'의 대표 뜻은 '부리다',
'할(割)'의 대표 뜻은 '베다',
'극(劇)'의 대표 뜻은 '심하다'야.

뜻 정한 상황에 맞게 역할을 맡아 연기하는 연극.

예 친구들과 각자 역할을 맡아 역할극을 했다.

1
주
차

1회

만화 영화

漫 흩어질 만 + 畫 그림 화 +
映 비칠 영 + 畫 그림 화

뜻 여러 장의 만화를 이어서 찍어 움직이는 것처럼 보이게 만든 영화.

예 인물의 표정, 몸짓, 말투에 주의하며 만화 영화를 보면 만화 영화를 더 재미있게 볼 수 있다.

분명하다

分 명백하게 할 분 +
明 밝을 명 + 하다
'분(分)'의 대표 뜻은 '나누다'야.

뜻 어떤 사실이 틀림없고 확실하다.

예 역할극을 볼 때 친구들이 자연스러운 몸짓으로 뜻을 분명하게 전달하는지 살펴보자.

비슷한말 명확하다
'명확하다'는 "분명하고 확실하다."라는 뜻이야.
예 해야 할 것과 하지 말아야 할 것을 명확하게 구분해야 한다.

 ## 꼭! 알아야 할 속담

빈칸 채우기 '남의 손의 ☐은 커 보인다'는 남의 물건이 자신의 것보다 더 좋아 보이고 남의 일이 자신의 일보다 더 쉬워 보임을 이르는 말입니다.

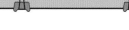

다음 중 낱말의 뜻을 잘 알고 있는 것에 ✅ 하세요.

□ 중심 생각 □ 담기다 □ 반대말 □ 관련되다 □ 수칙 □ 토박이말

🖊 낱말을 읽고, ⬜ 부분에 밑줄을 그으면서 낱말 공부를 해 보세요.

이것만은 꼭!

중심 생각

中 가운데 중 + 心 마음 심 + 생각

- 뜻 글쓴이가 글 전체에서 말하고 싶은 생각.
- 예 글쓴이는 갯벌을 잘 보존해야 한다는 중심 생각을 전하기 위해서 이 글을 썼다.

'중심 생각'을 '주제'라고도 해. '주제'는 글에서 나타내려고 하는 중심이 되는 생각을 말해.

담기다

- 뜻 내용이나 생각이 그림, 글 등에 나타나거나 포함되다.
- 예 알고 싶은 내용이 담긴 글을 읽고 내용을 간추려 보자.

어법 담다 → 담기다

'담다'는 "내용이나 생각을 그림, 글 등에 나타내거나 포함하다."라는 뜻이야. '담기다'는 담기게 되는 것을 말해. '기'를 붙여서 그 동작을 당하게 된다는 뜻을 더한 거야. 비슷한 예로 '안기다', '찢기다', '쫓기다'가 있어.

반대말

反 반대할 반 + 對 대할 대 + 말
🔎 '반(反)'의 대표 뜻은 '돌이키다'야.

- 뜻 서로 정반대되는 뜻을 담고 있는 한 쌍의 낱말.
- 예 '같다'의 반대말은 '다르다'이다.

'정반대'는 완전히 반대되는 것을 뜻해.

관련 어휘 비슷한말

'비슷한말'은 뜻이 서로 비슷한 말을 뜻해.
- 예 '책방'의 비슷한말은 '서점'이다.

관련되다

關 관계할 관 + 聯 연결할 련 + 되다

👆 '련(聯)'의 대표 뜻은 '연잇다'야.

뜻 둘 이상의 사람, 물건 등이 서로 가까운 관계에 있다.

예 글과 관련된 기억을 떠올리며 읽었더니 글의 내용이 쉽게 이해됐다.

수칙

守 지킬 수 + 則 법칙 칙

뜻 행동이나 순서에 대해 지켜야 할 점을 정한 규칙.

예 과학 실험 안전 수칙에는 선생님과 함께 실험하기, 과학실에서 장난치지 않기 등이 있다.

토박이말

土 흙 토 + 박이말

뜻 우리말에 원래부터 있던 말이나 그것에 더해 새로 만들어진 말.

예 '꽃샘추위'는 이른 봄에 찾아오는 추위를 일컫는 토박이말이다.

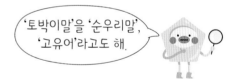

'토박이말'을 '순우리말', '고유어'라고도 해.

꼭! 알아야 할 관용어

동생이 큰 부자가 됐다고? 아이고, 배 아파.

어떻게 부자가 됐는지 가서 물어봐야겠다.

아! 동생이 어디로 이사를 갔는지 모르는구나!

○표 하기

'(배가 아프다 , 귀가 가렵다)'는 "남이 잘되어 심술이 나다."라는 뜻입니다.

✎ 12~13쪽에서 공부한 낱말을 떠올리며 문제를 풀어 보세요.

1 보기 에 있는 글자 카드로 뜻에 알맞은 낱말을 만들어 쓰세요. (같은 글자 카드를 여러 번 쓸 수 있어요.)

보기

| 만 | 몸 | 영 | 작 | 짓 | 품 | 화 |

(1) 몸을 움직이는 모양. → ▢▢

(2) 그림, 동화, 시 등 예술 활동으로 만든 것. → ▢▢

(3) 여러 장의 만화를 이어서 찍어 움직이는 것처럼 보이게 만든 영화. → ▢▢▢

2 낱말의 뜻에 대해 바르게 말하지 <u>못한</u> 친구의 이름을 쓰세요.

'표정'은 생각이나 기분 등이 행동에 드러나는 것을 뜻하는 낱말이야.
성현

'분명하다'는 "어떤 사실이 틀림없고 확실하다."라는 뜻의 낱말이야.
영주

'역할극'은 정한 상황에 맞게 역할을 맡아 연기하는 연극을 뜻하는 낱말이야.
민정

( )

3 ▨▨▨ 안의 낱말과 뜻이 비슷한 낱말은 무엇인가요? ( )

분명하다

① 명확하다   ② 분류하다   ③ 설명하다
④ 유명하다   ⑤ 흩어지다

4 밑줄 친 낱말의 쓰임이 알맞으면 ○표, 알맞지 <u>않으면</u> ✕표 하세요.

(1) 동생이 화난 <u>몸짓</u>을 지었다. ( )

(2) 지우가 머리를 긁적이는 <u>표정</u>을 하며 사과했다. ( )

(3) 친구들과 「백설 공주」라는 <u>작품</u>을 역할극으로 꾸미기로 했다. ( )

✏️ 14~15쪽에서 공부한 낱말을 떠올리며 문제를 풀어 보세요.

5 뜻에 알맞은 낱말을 글자판에서 찾아 묶으세요. (낱말은 가로(━), 세로(┃) 방향에 숨어 있어요.)

수	칙	중	심
비	슷	한	반
담	기	다	대
토	박	이	말

❶ 서로 정반대되는 뜻을 담고 있는 한 쌍의 낱말.

❷ 행동이나 순서에 대해 지켜야 할 점을 정한 규칙.

❸ 우리말에 원래부터 있던 말이나 그것에 더해 새로 만들어진 말.

6 낱말의 뜻에 맞게 ( ) 안에서 알맞은 말을 골라 ○표 하세요.

(1) **중심 생각** 글쓴이가 글 전체에서 말하고 싶은 (경험 , 생각).

(2) **관련되다** 둘 이상의 사람, 물건 등이 서로 가까운 (곳 , 관계)에 있다.

7 보기 와 같이 문장을 바꾸어 쓸 때 ( ) 안에 알맞은 말을 쓰세요.

보기
글에 의견을 <u>담다</u>. → 의견이 글에 <u>담기다</u>.

(1) 엄마가 아기를 <u>안다</u>. → 아기가 엄마에게 (   ).

(2) 경찰이 도둑을 <u>쫓다</u>. → 도둑이 경찰에게 (   ).

8 밑줄 친 낱말을 바르게 사용하지 <u>못한</u> 친구의 이름을 쓰세요.

다빈: 교실에서 지켜야 할 안전 <u>수칙</u>을 말해 보자.
정혁: '함박눈'과 '진눈깨비'는 모두 눈과 <u>관련된</u> 말이야.
유미: '마른장마'는 장마인데도 비가 오지 않거나 적게 오는 것을 뜻하는 <u>반대말</u>이야.

(   )

사회 교과서 어휘

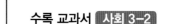

다음 중 낱말의 뜻을 잘 알고 있는 것에 ✓ 하세요.

☐ 인문 환경 ☐ 하천 ☐ 조선소 ☐ 강수량 ☐ 숙박 시설 ☐ 여가 생활

사람들은 하천, 산과 같은 자연환경이나 시장, 조선소, 논과 밭 같은 인문 환경을 이용해. 이번 회에서는 자연환경, 인문 환경과 관련 있는 낱말들을 공부해 보자.

✏️ 낱말을 읽고, [ ] 부분에 밑줄을 그으면서 낱말 공부를 해 보세요.

이것만은 꼭!

인문 환경

人 사람 **인** + 文 꾸밀 **문** + 環 두루 미칠 **환** + 境 지경 **경**

📖 '문(文)'의 대표 뜻은 '글월', '환(環)'의 대표 뜻은 '고리'야.

🟦 사람들이 만든 환경.

🟩 논과 밭, 다리, 도로 등은 모두 인문 환경에 해당한다.

관련 어휘 **자연환경**

'자연환경'은 산, 바다와 같은 땅의 생김새와 날씨에 영향을 주는 비, 바람 등 자연 그대로의 것을 말해.

하천

河 물 **하** + 川 내 **천**

🟦 강과 시내를 아울러 이르는 말.

🟩 고장 사람들은 하천의 물을 생활에 이용한다.

'시내'는 골짜기나 들판에 흐르는 작은 물줄기를 뜻하는 말이야.

조선소

造 지을 **조** + 船 배 **선** + 所 곳 **소**

🖱 '소(所)'의 대표 뜻은 '바'야.

🔵 뜻 배를 만들거나 고치는 곳.

🟡 예 우리 고장에는 배를 만드는 조선소가 있다.

뜻을 더해 주는 말 '-소'

'-소'는 장소의 뜻을 더해 주는 말이야. '조선소'처럼 '-소'가 붙어서 만들어진 낱말에는 '매표소', '목공소' 등이 있어.
- 매표소: 차표나 입장권 등의 표를 파는 곳.
- 목공소: 나무로 가구 등의 여러 물건을 만드는 곳.

강수량

降 내릴 **강** + 水 물 **수** + 量 헤아릴 **량**

🔵 뜻 일정한 곳에 일정 기간 내린 눈, 비 등의 물의 양.

🟡 예 민우네 고장은 여름에 강수량이 많다.

 강수량, 교통량, 사용량, 학습량에 쓰인 '량'은 양의 뜻을 나타내는 말이야.

숙박 시설

宿 잘 **숙** + 泊 머무를 **박** + 施 베풀 **시** + 設 베풀 **설**

🔵 뜻 관광객, 여행객이 잠을 자고 머무를 수 있도록 만든 시설.

🟡 예 바다가 있는 고장에 사는 사람들은 펜션 같은 숙박 시설을 운영해 관광객에게 빌려준다.

여가 생활

餘 남을 **여** + 暇 틈 **가** + 生 살 **생** + 活 살 **활**

🖱 '생(生)'의 대표 뜻은 '나다'야.

🔵 뜻 스스로 즐거움을 얻기 위해 남는 시간에 하는 자유로운 활동.

🟡 예 사람들은 등산이나 낚시 등 다양한 여가 생활을 한다.

▲ 다양한 여가 생활

사회 교과서 어휘

다음 중 낱말의 뜻을 잘 알고 있는 것에 ✓ 하세요.

☐ 의식주 ☐ 의생활 ☐ 챙 ☐ 식생활 ☐ 주생활 ☐ 너와집

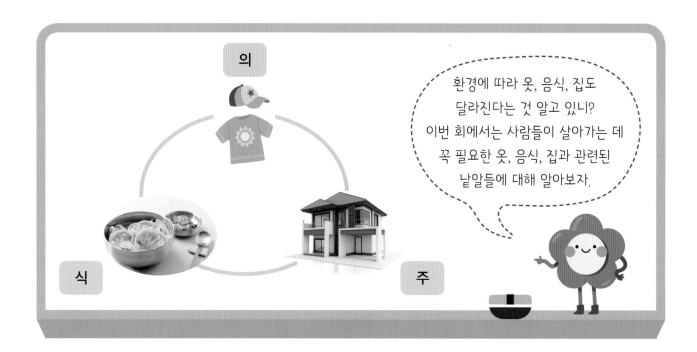

환경에 따라 옷, 음식, 집도 달라진다는 것 알고 있니? 이번 회에서는 사람들이 살아가는 데 꼭 필요한 옷, 음식, 집과 관련된 낱말들에 대해 알아보자.

✎ 낱말을 읽고,   부분에 밑줄을 그으면서 낱말 공부를 해 보세요.

이것만은 꼭!

의식주

衣 옷 의 + 食 먹을 식 + 住 살 주

뜻 사람이 살아가는 데 필요한 옷, 음식, 집을 모두 이르는 말.

예 우리나라의 대표적인 의식주에는 한복, 김치, 한옥이 있다.

의생활

衣 옷 의 + 生 살 생 + 活 살 활
✎ '생(生)'의 대표 뜻은 '나다'야.

뜻 입는 일이나 입는 옷에 대한 생활.

예 여름에는 바람이 잘 통하는 옷을 입고 겨울에는 두꺼운 옷을 입는 것처럼 의생활 모습은 계절과 날씨에 따라 달라진다.

챙

뜻 햇볕을 가리기 위해 모자의 끝에 댄 부분.

예 덥고 비가 많이 내리는 고장에서는 챙이 넓은 모자를 쓴다.

챙

식생활

食 먹을 식 + 生 살 생 +
活 살 활

뜻 먹는 일이나 먹는 음식에 대한 생활.

예 고장마다 발달한 음식이 다른데 그 까닭은 고장의 자연환경이 고장 사람들의 식생활 모습에 영향을 주었기 때문이다.

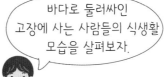
바다로 둘러싸인 고장에 사는 사람들의 식생활 모습을 살펴보자.

생선을 이용한 음식이 발달했어.

주생활

住 살 주 + 生 살 생 +
活 살 활

뜻 사는 집이나 사는 곳에 대한 생활.

예 러시아에 있는 고장 사람들은 나무로 집을 지었고, 터키에 있는 고장 사람들은 동굴에 집을 짓는 등 세계 여러 고장 사람들의 주생활 모습은 다양하다.

너와집

뜻 얇은 돌조각이나 평평한 나뭇조각으로 지붕을 얹은 집.

예 나무를 쉽게 구할 수 있는 고장에 사는 사람들은 나뭇조각으로 지붕을 얹은 너와집을 짓고 살았다.

너와

▲ 너와집(울릉도)

확인 문제

✎ 18~19쪽에서 공부한 낱말을 떠올리며 문제를 풀어 보세요.

1 낱말의 뜻을 보기 에서 찾아 사다리를 타고 내려간 곳에 기호를 쓰세요.

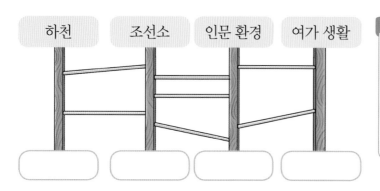

| 하천 | 조선소 | 인문 환경 | 여가 생활 |

보기
㉠ 사람들이 만든 환경.
㉡ 배를 만들거나 고치는 곳.
㉢ 강과 시내를 아울러 이르는 말.
㉣ 스스로 즐거움을 얻기 위해 남는 시간에 하는 자유로운 활동.

2 낱말의 뜻에 맞게 빈칸에 들어갈 알맞은 말을 쓰세요.

| 강수량 | 일정한 곳에 일정 기간 내린 눈, 비 등의 ☐ 의 양. |

3 밑줄 친 '소'의 공통된 뜻은 무엇인가요? (   )

매표<u>소</u>   조선<u>소</u>   목공<u>소</u>

① 배   ② 시간   ③ 작다   ④ 장소   ⑤ 재료

4 빈칸에 들어갈 알맞은 낱말을 찾아 선으로 이으세요.

(1) 우리 고장의 ☐ 에는 다리, 공장 등이 있다. •

(2) 서영이는 여름 방학 때 영화 감상을 하며 ☐ 을 즐겼다. •

(3) 주원이네는 ☐ 을 운영해서 휴가철에 많은 여행객들이 머무르다 간다. •

• 숙박 시설

• 인문 환경

• 여가 생활

✎ 20～21쪽에서 공부한 낱말을 떠올리며 문제를 풀어 보세요.

5 보기 에 있는 글자 카드로 뜻에 알맞은 낱말을 만들어 쓰세요.

보기

| 너 | 식 | 와 | 의 | 주 | 집 | 챙 |

(1) 햇볕을 가리기 위해 모자의 끝에 댄 부분. → ▢

(2) 얇은 돌조각이나 평평한 나뭇조각으로 지붕을 얹은 집. → ▢▢

(3) 사람이 살아가는 데 필요한 옷, 음식, 집을 모두 이르는 말. → ▢▢

6 다음 뜻을 가진 낱말을 찾아 선으로 이으세요.

(1) 입는 일이나 입는 옷에 대한 생활. •   • 식생활

(2) 사는 집이나 사는 곳에 대한 생활. •   • 주생활

(3) 먹는 일이나 먹는 음식에 대한 생활. •   • 의생활

7 ( ) 안에 들어갈 알맞은 낱말을 보기 에서 찾아 쓰세요.

보기

챙   의생활   식생활

(1) ( )의 예에는 옷, 신발, 목도리, 모자 등이 있다.

(2) 덥고 습한 고장에 사는 사람들은 햇볕을 가리기 위해서 ( )이 넓은 모자를 쓴다.

(3) 고장마다 다른 ( ) 모습을 살펴보면 평양은 냉면이 유명하고, 안동은 간고등어가 유명하다.

수학 교과서 어휘

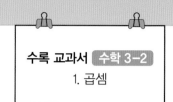

다음 중 낱말의 뜻을 잘 알고 있는 것에 ✓ 하세요.

☐ 곱셈식 ☐ 곱 ☐ 좌석 ☐ 모눈종이 ☐ 줄 ☐ 자루

그림에서 열차에 모두 몇 개의 좌석이 있는지 알려면 곱셈식으로 계산하면 돼. 이번 회에서는 곱셈식과 관련된 낱말들과 '줄'이나 '자루'와 같이 무엇을 세는 단위에 대해서 알아보자.

이 열차에 좌석이 모두 몇 개 있나요?

열차는 모두 8량인데, 한 량에 좌석이 128개 있단다.

✏️ 낱말을 읽고, ▨▨▨ 부분에 밑줄을 그으면서 낱말 공부를 해 보세요.

이것만은 꼭!

곱셈식
곱셈 + 式 법 식

뜻 몇 개의 수나 식 등을 곱하여 계산하거나 셈하는 식.

예 한 명당 3권씩 231명이 가져올 책의 수를 곱셈식으로 나타내어 보자.

곱셈식

$$231 \times 3 = 693 \qquad \begin{array}{r} 2\ 3\ 1 \\ \times \qquad 3 \\ \hline 6\ 9\ 3 \end{array}$$

곱

뜻 둘 이상의 수 또는 식을 곱하여 얻은 수나 식.

예 720은 80 × 9의 곱이다.

좌석

座 자리 **좌** + 席 자리 **석**

뜻 앉을 수 있게 준비된 자리.

예 자기 부상 열차 한 량에는 좌석이 131개 있다.

비슷한말 자리

'자리'는 사람이 앉을 수 있도록 만들어 놓은 곳이라는 뜻이야.

예 할머니께 자리를 양보해 드렸다.

모눈종이

뜻 일정한 간격으로 여러 개의 세로줄과 가로줄을 그린 종이.

예 모눈종이로 (몇)×(몇십몇)의 계산 방법을 알아보자.

줄

뜻 길게 늘어서 있는 사람이나 물건을 세는 단위.

예 나무 심기 행사를 하기 위해 어린나무를 20그루씩 30줄 준비했다.

여러 가지 뜻을 가진 낱말 줄

'줄'은 무엇을 묶거나 매는 데 쓰는 가늘고 긴 물건이라는 뜻도 있어.

예 줄로 나뭇가지들을 묶었다.

자루

뜻 물건을 주머니에 담아 그 양을 세는 단위.

예 작년에 재활용 병을 29자루 모았다.

글자는 같지만 뜻이 다른 낱말 자루

'자루'는 길쭉하게 생긴 필기도구나 연장, 무기 등을 세는 단위라는 전혀 다른 뜻도 있어.

예 볼펜 세 자루를 샀다.

수학 교과서 어휘

다음 중 낱말의 뜻을 잘 알고 있는 것에 ✔ 하세요.

☐ 나눗셈식 ☐ 나머지 ☐ 나누어떨어지다 ☐ 나누다 ☐ 모둠 ☐ 세로

이 상자 안에 구슬이 24개가 들어 있어. 우리 셋이 똑같이 나누어 갖자.

상자에 들어 있는 구슬 24개를 세 명의 친구들이 똑같이 나누어 가지려고 해. 한 명이 구슬을 몇 개씩 가질 수 있을까? 나누기와 관련하여 꼭 알아야 할 낱말들을 배워 보자.

✏️ 낱말을 읽고,   부분에 밑줄을 그으면서 낱말 공부를 해 보세요.

나눗셈식
나눗셈 + 式 법 식

뜻 몇 개의 수나 식 등을 나누어 계산하거나 셈하는 식.

예 사과 10개를 한 봉지에 2개씩 담으면 몇 봉지가 되는지 구하는 나눗셈식을 써 보세요.

┌─── 나눗셈식 ───┐

$10 \div 2 = 5$ $2\overline{)10}^{\,5}$

이것만은 꼭!

나머지

뜻 나누어 똑 떨어지지 않고 남는 수.

예 19를 4로 나누면 몫은 4이고 3이 남는데, 이때 3을 19÷4의 나머지라고 한다.

'떨어지다'는 "나눗셈에서 나머지가 없이 나누어지다."라는 뜻이야.

1주차

3회

나누어떨어지다

뜻 나머지가 없이 딱 떨어지게 나누어지다.

예 21÷3을 하면 몫은 7, 나머지는 0으로 나누어떨어진다.

나누다

뜻 나눗셈을 하다.

예 60을 3으로 나누면 20이다.

여러 가지 뜻을 가진 낱말 나누다

'나누다'는 "음식을 함께 먹거나 갈라 먹다."라는 뜻도 있어.
예 친구와 간식을 나누어 먹으며 이야기했다.

모둠

뜻 초등학교, 중학교에서 학습을 위하여 학생들을 작은 규모로 묶은 모임.

예 학생 36명을 3모둠으로 똑같이 나누면 한 모둠은 12명씩이다.

'규모'는 물건이나 현상의 크기나 범위를 뜻해.

세로

뜻 위에서 아래로 이어지는 방향이나 길이.

예 36÷3 = 12라는 나눗셈식을 세로로 쓰면 3) 3 6 $\overline{}$ 12 이다.

확인 문제

24~25쪽에서 공부한 낱말을 떠올리며 문제를 풀어 보세요.

1 뜻에 알맞은 낱말을 글자판에서 찾아 묶으세요.(낱말은 가로(一), 세로(丨) 방향에 숨어 있어요.)

자	루	공	하
전	줌	씹	줄
거	미	곱	넘
모	눈	종	이

❶ 물건을 주머니에 담아 그 양을 세는 단위.
❷ 둘 이상의 수 또는 식을 곱하여 얻은 수나 식.
❸ 길게 늘어서 있는 사람이나 물건을 세는 단위.
❹ 일정한 간격으로 여러 개의 세로줄과 가로줄을 그린 종이.

2 빈칸에 들어갈 단위를 나타내는 말로 알맞은 것에 ○표 하세요.

(1) 할머니께서 쌀을 한 ☐ 보내 주셨다.   줄   자루

(2) 아이들은 운동장에 두 ☐ 로 나란히 섰다.   줄   자루

3 밑줄 친 낱말과 뜻이 비슷한 낱말은 무엇인가요? (   )

빈 <u>좌석</u>에 앉았다.
① 땅   ② 집   ③ 구석
④ 바닥   ⑤ 자리

4 (   ) 안에 들어갈 알맞은 낱말을 보기에서 찾아 쓰세요.

보기
좌석
곱셈식
모눈종이

(1) 25명이 13일 동안 마신 우유의 개수를 (   )(으)로 나타내면 25×13이다.

(2) (   )을/를 이용하여 14×15를 계산해 보니 색칠한 모눈은 모두 210칸이었다.

(3) 열차 5량에 있는 (   )의 수는 모두 655개로, 우리 학교 학생들이 모두 앉을 수 있다.

✎ 26～27쪽에서 공부한 낱말을 떠올리며 문제를 풀어 보세요.

5 뜻에 알맞은 낱말을 보기에서 찾아 쓰세요.

> 보기
>
> 나머지　　　나누다　　　나눗셈식　　　나누어떨어지다

(1) (　　　　　　): 나눗셈을 하다.

(2) (　　　　　　): 나누어 똑 떨어지지 않고 남는 수.

(3) (　　　　　　): 나머지가 없이 딱 떨어지게 나누어지다.

(4) (　　　　　　): 몇 개의 수나 식 등을 나누어 계산하거나 셈하는 식.

6 낱말의 뜻에 맞게 (　　) 안에서 알맞은 말을 골라 ○표 하세요.

(1) 세로: (위에서 아래로 , 왼쪽에서 오른쪽으로) 이어지는 방향이나 길이.

(2) 모둠: 초등학교, 중학교에서 학습을 위하여 학생들을 작은 규모로 묶은 (행사 , 모임).

7 밑줄 친 낱말이 보기의 뜻으로 쓰인 것에 ○표 하세요.

> 보기
>
> 나누다: 나눗셈을 하다.

(1) 김밥을 친구와 나누어 먹었다. (　　　　　)

(2) 48을 6으로 나누면 8이므로 몫은 8이다. (　　　　　)

8 빈칸에 들어갈 알맞은 낱말을 글자 카드를 이용하여 만들어 쓰세요.

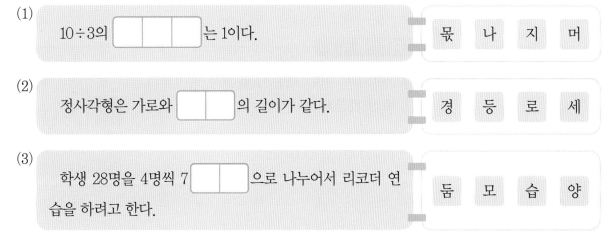

(1) 10÷3의 [　　][　　][　　] 는 1이다.　　　몫　나　지　머

(2) 정사각형은 가로와 [　　][　　] 의 길이가 같다.　　　경　등　로　세

(3) 학생 28명을 4명씩 7 [　　][　　] 으로 나누어서 리코더 연습을 하려고 한다.　　　둠　모　습　양

과학 교과서 어휘

다음 중 낱말의 뜻을 잘 알고 있는 것에 ✓ 하세요.

☐ 기록하다 ☐ 실험 ☐ 해결하다 ☐ 보충하다 ☐ 실행하다 ☐ 의문

과학을 공부하면서 궁금하거나 더 알고 싶은 것이 있다면 탐구를 해 보면 돼. 오늘은 탐구와 관련된 낱말들에 대해 공부해 보자.

✏️ 낱말을 읽고, ▨ 부분에 밑줄을 그으면서 낱말 공부를 해 보세요.

기록하다

記 기록할 기 + 錄 기록할 록 + 하다

뜻 사실이나 생각을 글이나 기호로 적다.

예 관찰한 것 중에서 궁금한 것은 잊지 않도록 기록한다.

비슷한말 쓰다

'쓰다'는 "생각을 종이 등에 글로 나타내다."라는 뜻이야.

예 나는 매일 일기를 쓴다.

실험

實 실제로 행할 실 + 驗 시험 험

🌱 '실(實)'의 대표 뜻은 '열매'야.

이것만은 꼭!

뜻 과학에서 어떤 내용이 옳은지 알아보기 위해 관찰하고 측정함.

예 자석을 다른 자석에 가까이 가져가면 어떻게 되는지 실험을 해 보았다.

해결하다

解 풀 **해** + 決 결정할 **결** + 하다

뜻 어려운 일이나 문제를 잘 풀어서 마무리하다.

예 탐구 문제를 해결할 수 있는 방법을 생각하며 계획을 세워 보자.

비슷한말 풀다

'풀다'는 "모르거나 복잡한 문제를 해결하거나 그 답을 알아내다."라는 뜻이야.

예 복잡한 수학 문제를 풀었다.

보충하다

補 보탤 **보** + 充 채울 **충** + 하다

'보(補)'의 대표 뜻은 '깁다'야.

뜻 부족한 것을 보태어 채우다.

예 탐구 계획에 대한 친구들의 의견을 듣고 부족한 부분이 있으면 보충한다.

비슷한말 보완하다

'보완하다'는 "모자라거나 부족한 것을 보충하여 완전하게 하다."라는 뜻이야.

예 제품의 문제점을 보완했다.

실행하다

實 실제로 행할 **실** + 行 행할 **행** + 하다

'행(行)'의 대표 뜻은 '다니다'야.

뜻 실제로 하다.

예 계획에 따라 탐구를 실행해야 한다.

비슷한말 실시하다

'실시하다'도 "실제로 하다."라는 뜻이야.

예 내일 지진 대피 훈련을 실시할 예정이다.

의문

疑 의심할 **의** + 問 물을 **문**

뜻 어떤 것에 대해 의심스럽게 생각함. 또는 그런 문제나 사실.

예 우리 주변에서 궁금한 것을 찾기 위해서는 잘 알고 있는 것도 의문을 갖고 "왜?"라는 질문을 해야 한다.

과학 교과서 어휘

다음 중 낱말의 뜻을 잘 알고 있는 것에 ☑ 하세요.

☐ 동물 ☐ 동물도감 ☐ 확대경 ☐ 사막 ☐ 호숫가 ☐ 헤엄치다

◀ 치타

하마 ▶

동물은 사는 곳에 따라 생김새가 달라. 땅에서 빨리 달리는 치타는 다리가 길어. 주로 물에서 생활하는 하마는 다리가 짧지. 이번 회에서는 동물들의 생활 환경과 관련된 낱말들에 대해 알아보자.

✏️ 낱말을 읽고,   부분에 밑줄을 그으면서 낱말 공부를 해 보세요.

 이것만은 꼭!

동물

動 움직일 동 + 物 만물 물
🖱 '물(物)'의 대표 뜻은 '물건'이야.

뜻 움직일 수 있으며 다른 생물로부터 영양이 되는 물질을 얻어 살아가는 생물.

예 집 주변에서는 개나 고양이와 같은 동물을 볼 수 있다.

관련 어휘 식물

'식물'은 풀이나 나무처럼 스스로의 힘으로 움직일 수 없는 생물을 말해.

동물도감

動 움직일 동 + 物 만물 물 +
圖 그림 도 + 鑑 볼 감
🖱 '감(鑑)'의 대표 뜻은 '거울'이야.

뜻 동물의 실제 모습을 그림이나 사진으로 볼 수 있도록 만든 책.

예 더 알아보고 싶은 동물의 특징을 동물도감에서 찾아보자.

관련 어휘 도감

'도감'은 동물이나 식물 등의 그림이나 사진을 모아서 실제 모습 대신 볼 수 있도록 만든 책을 말해.

확대경

擴 넓힐 **확** + 大 클 **대** + 鏡 거울 **경**

뜻 물체를 실제 크기보다 크게 보기 위한 도구.

예 땅에 사는 작은 동물을 확대경으로 자세하게 관찰해 보자.

1 주차

4회

사막

沙 모래 **사** + 漠 사막 **막**

뜻 비가 적게 내려서 식물이 잘 자라지 못하는, 모래로 뒤덮인 땅.

예 사막은 물이 매우 적고 모래바람이 많이 분다.

이 사진에 나온 모래로 뒤덮인 땅이 사막이야.

호숫가

湖 호수 **호** + 水 물 **수** + 가

뜻 호수를 둘러싼 가장자리.

예 수달은 강이나 호숫가에 산다.

호숫가의 '가'는 '주변'의 뜻을 나타내는 말이야. 호숫가처럼 '가'가 붙은 낱말에는 강가, 창가, 길가 등이 있어.

헤엄치다

뜻 사람이나 물고기 등이 물속에서 나아가기 위해 팔다리나 지느러미를 움직이다.

예 연경이는 강에서 헤엄치는 붕어를 보았다.

✎ 30~31쪽에서 공부한 낱말을 떠올리며 문제를 풀어 보세요.

1 뜻에 알맞은 낱말을 빈칸에 쓰세요.

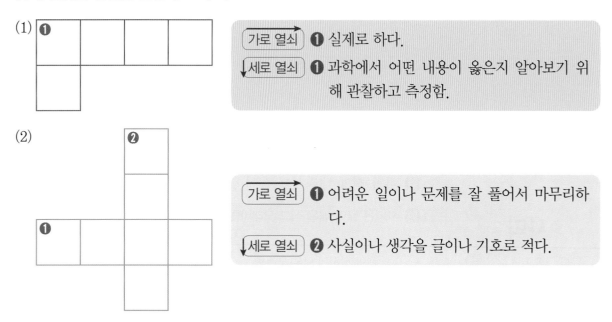

(1)

가로 열쇠 →	❶ 실제로 하다.
↓ 세로 열쇠	❶ 과학에서 어떤 내용이 옳은지 알아보기 위해 관찰하고 측정함.

(2)

가로 열쇠 →	❶ 어려운 일이나 문제를 잘 풀어서 마무리하다.
↓ 세로 열쇠	❷ 사실이나 생각을 글이나 기호로 적다.

2 낱말의 뜻에 맞게 (   ) 안에서 알맞은 말을 골라 ○표 하세요.

(1) 보충하다: 부족한 것을 보태어 (없애다 , 채우다).

(2) 의문: 어떤 것에 대해 (걱정스럽게 , 의심스럽게) 생각함. 또는 그런 문제나 사실.

3 　　　 안의 낱말과 뜻이 비슷한 낱말을 골라 ○표 하세요.

(1) 기록하다　　　쓰다　　　풀다

(2) 보충하다　　　실시하다　　　보완하다

4 (1)~(3)에 들어갈 낱말을 완성하세요.

성균: 과학을 공부하면서 궁금했던 것들이 있어서 공책에 (1) [ㄱ][ㄹ] 해 두었어.

재훈: 그중에서 한 가지를 탐구 문제로 정한 뒤 그 문제를 (2) [ㅎ][ㄱ] 하기 위해 계획을 세우

자. 그리고 계획을 세우면서 부족한 점은 친구들에게 물어서 (3) [ㅂ][ㅊ] 하자.

✏️ 32~33쪽에서 공부한 낱말을 떠올리며 문제를 풀어 보세요.

5 낱말의 뜻을 보기 에서 찾아 사다리를 타고 내려간 곳에 기호를 쓰세요.

보기

㉠ 호수를 둘러싼 가장자리.

㉡ 물체를 실제 크기보다 크게 보기 위한 도구.

㉢ 움직일 수 있으며 다른 생물로부터 영양이 되는 물질을 얻어 살아가는 생물.

㉣ 사람이나 물고기 등이 물속에서 나아가기 위해 팔다리나 지느러미를 움직이다.

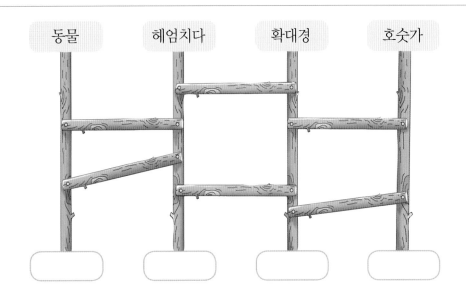

동물   헤엄치다   확대경   호숫가

6 낱말의 뜻에 맞게 빈칸에 들어갈 말을 완성하세요.

(1) **사막**   비가 적게 내려서 식물이 잘 자라지 못하는, ㅁ ㄹ 로 뒤덮인 땅.

(2) **동물도감**   동물의 실제 모습을 ㄱ ㄹ 이나 ㅅ ㅈ 으로 볼 수 있도록 만든 책.

7 밑줄 친 낱말을 바르게 사용하지 <u>못한</u> 친구의 이름을 쓰세요.

지민: 강이나 <u>호숫가</u>에는 개구리가 땅과 물을 오가며 살아.

인호: 나비, 잠자리와 같은 곤충은 날개가 있어 <u>헤엄칠</u> 수 있어.

형규: 맨눈으로 잘 보이지 않는 부분은 <u>확대경</u>을 사용하면 자세하게 볼 수 있어.

(   )

한자 어휘

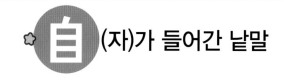

自 (자)가 들어간 낱말

✏️ '自(자)'가 들어간 낱말을 읽고, ▢▢▢ 부분에 밑줄을 그으면서 낱말 공부를 해 보세요.

自
스스로 **자**

'자(自)'는 사람의 코를 본떠 만든 글자야. 사람들이 자신을 가리킬 때 손가락이 코를 향하면서 '자(自)'가 '스스로'라는 뜻을 갖게 되었지. '자(自)'는 '저절로'라는 뜻도 갖고 있어.

自문自답
自동
自명종
自정

스스로 自

자문자답

自 스스로 **자** + 問 물을 **문** + 自 스스로 **자** + 答 대답 **답**

뜻 스스로 묻고 스스로 대답함.

예 고민이 있을 때 자문자답을 하면 해결 방법을 찾을 수도 있다.

자동

自 스스로 **자** + 動 움직일 **동**

뜻 기계가 스스로 움직이는 것.

예 이 에어컨은 자동으로 온도를 조절한다.

반대말 **수동**

'수동'은 사람이 손의 힘만으로 움직이는 것을 뜻하는 낱말이야.

예 버스의 자동문이 고장 나 수동으로 열었다.

저절로 自

자명종

自 저절로 **자** + 鳴 울 **명** + 鐘 시계 **종**

🔎 '종(鐘)'의 대표 뜻은 '쇠북'이야.

뜻 미리 정해 놓은 때가 되면 저절로 소리를 내는 시계.

예 아침 일곱 시가 되자 자명종이 울렸다.

자정

自 저절로 **자** + 淨 깨끗할 **정**

뜻 오염된 물이나 땅이 저절로 깨끗해짐.

예 물은 자정 능력을 갖고 있어서 어느 정도 시간이 지나면 저절로 깨끗해진다.

一(일)이 들어간 낱말

🖊 '一(일)'이 들어간 낱말을 읽고, ▢▢ 부분에 밑줄을 그으면서 낱말 공부를 해 보세요.

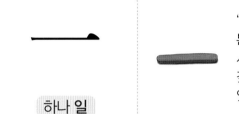

하나 일

'일(一)'은 막대기를 옆으로 눕혀 놓은 모습을 본떠 만든 글자야. 옛날에 막대기를 하나 눕혀서 숫자 하나를 표시한 것에서 '하나'라는 뜻을 갖게 되었어. '일(一)'은 '모든'이라는 뜻도 갖고 있어.

─석이조
─회용
─체
─임

하나
一

일석이조

一 하나 **일** + 石 돌 **석** + 二 두 **이** + 鳥 새 **조**

뜻 돌 한 개를 던져 새 두 마리를 잡는다는 뜻으로, 동시에 두 가지 이익을 얻음.

예 운동을 하면 살도 빠지고 몸도 건강해지니 일석이조이다.

일회용

一 하나 **일** + 回 횟수 **회** + 用 쓸 **용**

🐭 '회(回)'의 대표 뜻은 '돌아오다'야.

뜻 한 번만 쓰고 버리는 것.

예 일회용 제품의 사용을 줄이자.

관련 어휘 다회용
'다회용'은 여러 번 쓰고 버리는 것을 말해.

모든
一

일체

一 모든 **일** + 切 온통 **체**

뜻 모든 것.

예 할아버지께서는 재산 일체를 보육원에 기부하셨다.

일임

一 모든 **일** + 任 맡길 **임**

뜻 모두 맡김.

예 할머니께서는 작년부터 텃밭 일을 아빠에게 일임하셨다.

확인 문제

🖊 36쪽에서 공부한 낱말을 떠올리며 문제를 풀어 보세요.

1 뜻에 알맞은 낱말을 보기 에서 찾아 사다리를 타고 내려간 곳에 쓰세요.

보기

| 자정 | 자명종 | 자문자답 |

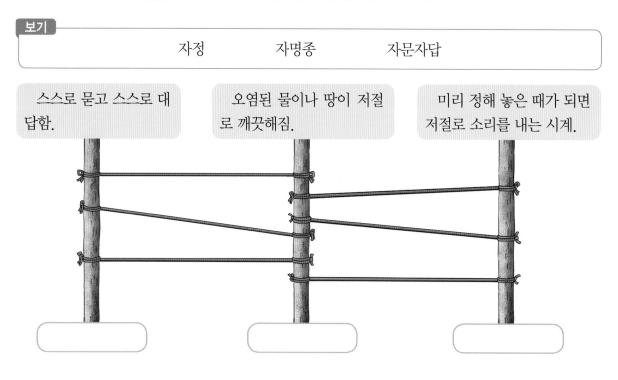

스스로 묻고 스스로 대답함.

오염된 물이나 땅이 저절로 깨끗해짐.

미리 정해 놓은 때가 되면 저절로 소리를 내는 시계.

2 다음 뜻을 가진 낱말을 찾아 선으로 이으세요.

(1) 기계가 스스로 움직이는 것. •

(2) 사람이 손의 힘만으로 움직이는 것. •

• 수동

• 자동

3 ( ) 안에 들어갈 알맞은 낱말을 보기 에서 찾아 쓰세요.

보기

| 자정 | 자동 | 자명종 |

(1) 일곱 시에 울리도록 ( )을 맞춰 놓았다.

(2) 이 카메라는 ( )으로 거리를 조절해 준다.

(3) 물속에 오염 물질이 계속 쌓이면 ( ) 능력이 사라져 저절로 깨끗해질 수 없다.

🖉 37쪽에서 공부한 낱말을 떠올리며 문제를 풀어 보세요.

4 뜻에 알맞은 낱말을 보기에서 찾아 쓰세요.

> **보기**
>
> 일임   일회용   일석이조

(1) (   ): 모두 맡김.

(2) (   ): 한 번만 쓰고 버리는 것.

(3) (   ): 돌 한 개를 던져 새 두 마리를 잡는다는 뜻으로, 동시에 두 가지 이익을 얻음.

5 밑줄 친 '일'의 뜻으로 알맞은 것을 골라 ○표 하세요.

(1)
일회용
하나   모든

(2)
일체
하나   모든

6 빈칸에 들어갈 알맞은 낱말을 글자 카드를 이용하여 만들어 쓰세요.

(1) 이번 여행에 들어간 비용 [   ]를 삼촌께서 내셨다.
   > 일   이   동   체

(2) 선생님께서 학급 도서 관리를 회장에게 [   ] 하셨다.
   > 반   일   음   임

(3) 종이컵과 같은 [   ] 제품을 많이 사용하면 환경이 오염된다.
   > 회   다   일   용

(4) 할머니 댁에 가면 할머니도 보고 할머니가 해 주신 맛있는 음식도 먹을 수 있어서 [   ] 이다.
   > 조   일   이   석

🖊 1주차 1~5회에서 공부한 낱말을 떠올리며 문제를 풀어 보세요.

낱말 뜻

1 **낱말과 그 뜻이 바르게 짝 지어진 것을 두 가지 고르세요. (   )**

① 해결하다 – 부족한 것을 보태어 채우다.
② 몸짓 – 생각이나 기분 등이 얼굴에 드러남.
③ 세로 – 위에서 아래로 이어지는 방향이나 길이.
④ 의문 – 어떤 것에 대해 의심스럽게 생각함. 또는 그런 문제나 사실.
⑤ 숙박 시설 – 스스로 즐거움을 얻기 위해 남는 시간에 하는 자유로운 활동.

낱말 뜻

2~3 낱말의 뜻에 맞게 빈칸에 들어갈 알맞은 말을 쓰세요.

2 | 의식주 | 사람이 살아가는 데 필요한 ☐, 음식, 집을 모두 이르는 말.

3 | 수칙 | 행동이나 순서에 대해 지켜야 할 점을 정한 ☐☐.

반대말

4 **반대말끼리 짝 지어진 것에 ◯표 하세요.**

(1) 자동 – 수동   (   )   (2) 몸짓 – 동작   (   )

(3) 해결하다 – 풀다   (   )   (4) 실행하다 – 실시하다 (   )

뜻을 더해 주는 말

5 **빈칸에 공통으로 들어갈 말은 무엇인가요? (   )**

매표☐   조선☐   목공☐

① 개   ② 꾼   ③ 보   ④ 소   ⑤ 질

여러 가지 뜻을 가진 낱말

6 빈칸에 공통으로 들어갈 알맞은 낱말은 무엇인가요? (   )

- 할아버지께서는 [   ](으)로 나뭇단을 꽁꽁 묶으셨다.
- 발레 공연을 보려는 사람들이 입구에 두 [   ](으)로 길게 서 있었다.

① 열   ② 줄   ③ 챙
④ 자루   ⑤ 나뭇가지

한자 성어

7 다음 친구의 말과 어울리는 낱말을 골라 ○표 하세요.

(1) 이 책은 학습에도 도움이 되고 재미도 있어!
(자문자답 , 일석이조)

(2) 책을 읽고 책의 내용을 스스로 물어보고 스스로 대답도 했어.
(자문자답 , 일석이조)

낱말 활용

8 ~ 10 (   ) 안에 들어갈 알맞은 낱말을 보기 에서 찾아 쓰세요.

> 보기
> 나누면   관련된   기록해

8 여행하면서 느낀 점을 공책에 (   ) 두었다.

9 124를 3으로 (   ) 몫은 41이고, 나머지는 1이다.

10 '호박이 넝쿨째로 굴러떨어졌다', '작은 고추가 더 맵다'는 채소와 (   ) 속담이다.

2 주차 어휘 미리 보기

한 주 동안
공부할 어휘들이야.
쏙 한번 훑어볼까?

 1회 학습 계획일 ◯월 ◯일

국어 교과서 어휘

인상	생생하다
띄어쓰기	둥그스름하다
되돌아보다	옴지락거리다
구체적	빗대다
점검하다	까무룩
소식지	굼질굼질

 2회 학습 계획일 ◯월 ◯일

사회 교과서 어휘

생활 도구	탈곡기
청동	시루
주먹도끼	가락바퀴
유적지	베틀
토기	움집
반달 돌칼	온돌

 **3회** 학습 계획일 ◯월 ◯일

수학 교과서 어휘

원의 중심	진분수
반지름	가분수
지름	자연수
컴퍼스	대분수
굴렁쇠	칸
트랙	종이띠

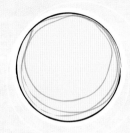

4회

학습 계획일 ◯월 ◯일

과학 교과서 어휘

날아다니다	지표
빨판	흙
탐사	깎다
기능	부식물
깃털	침식 작용
지느러미	퇴적 작용

5회

학습 계획일 ◯월 ◯일

한자 어휘

개과천선	대기만성
선행	대로
다다익선	대량
최선	대식가

어휘력 테스트

3주차 어휘 학습으로 가 보자!

국어 교과서 어휘

다음 중 낱말의 뜻을 잘 알고 있는 것에 ✔ 하세요.

□ 인상 □ 띄어쓰기 □ 되돌아보다 □ 구체적 □ 점검하다 □ 소식지

✎ 낱말을 읽고, ▢ 부분에 밑줄을 그으면서 낱말 공부를 해 보세요.

인상

印 인상 인 + 象 형상 상
⟜ '인(印)'의 대표 뜻은 '도장', '상(象)'의 대표 뜻은 '코끼리'야.

이것만은 꼭!

🔢 뜻 대상이 주는 느낌.

🔢 예 겪었던 일 중에서 인상 깊은 일을 떠올리기 위해서는 특별하게 느껴진 일이 무엇인지 생각해 본다.

글자는 같지만 뜻이 다른 낱말 인상

'인상'은 물건값이나 월급, 요금 등을 올리는 것이라는 전혀 다른 뜻도 있어.

🔢 예 전기 요금 인상을 내년으로 미루었다.

띄어쓰기

🔢 뜻 글을 쓸 때 낱말 사이를 띄어서 쓰는 일.

🔢 예 "주혁이가눈물이 그렁그렁한 얼굴로 말했다."에서 '주혁이가'와 '눈물이' 사이는 띄어쓰기를 해야 한다.

주혁이가∨눈물이 그렁그렁한 얼굴로 말했다.

되돌아보다

🔢 뜻 지난 일을 다시 생각해 보다.

🔢 예 기억에 남는 일을 정리하면 자신이 한 일을 되돌아볼 수 있다.

뜻을 더해 주는 말 '되-'

'되-'는 '다시'의 뜻을 더해 주는 말이야. '되돌아보다'처럼 '되-'가 붙어서 만들어진 낱말에는 '되묻다', '되살아나다', '되감다' 등이 있어.
• 되묻다: 같은 질문을 다시 하다.
• 되살아나다: 다시 살아나다.
• 되감다: 원래대로 감거나 다시 감다.

구체적

具 갖출 **구** + 體 형상 **체** +
的 ∼한 상태로 되는 **적**
🖱 '체(體)'의 대표 뜻은 '몸', '적(的)'
의 대표 뜻은 '과녁'이야.

뜻 자세하거나 분명한 것.

예 기억에 남는 일에 대해 언제, 어디에서, 어떤 일이 있었는지 **구체적**으로 표현하였다.

점검하다

點 검사할 **점** + 檢 검사할 **검** +
하다
🖱 '점(點)'의 대표 뜻은 '점'이야.

뜻 하나하나 다 검사하다.

예 내가 쓴 글을 다시 읽고 띄어쓰기를 바르게 했는지 **점검해** 보았다.

비슷한말 검사하다

'검사하다'는 "일이나 대상을 조사하여 옳고 그름이나 좋고 나쁨을 알아내다."라는 뜻이야.
예 병원에서 시력을 <u>검사했다</u>.

소식지

消 소식 **소** + 息 생활할 **식** +
紙 종이 **지**
🖱 '소(消)'의 대표 뜻은 '사라지다',
'식(息)'의 대표 뜻은 '쉬다'야.

뜻 단체의 새로운 소식을 알리는 종이.

예 우리 반 **소식지**에 1학기에 독서 잔치가 열린 것, 친구가 전학 온 것 등이 실렸다.

 꼭! 알아야 할 속담

 '(말이 씨가 된다 , 낮말은 새가 듣고 밤말은 쥐가 듣는다)'는 아무도 안 듣는 데서라도 말 조심해야 한다는 뜻의 말입니다.

2주차 1회 국어 교과서 어휘

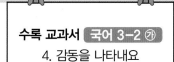
수록 교과서 국어 3-2 ㉮
4. 감동을 나타내요

다음 중 낱말의 뜻을 잘 알고 있는 것에 ✔ 하세요.

☐ 생생하다 ☐ 둥그스름하다 ☐ 옴지락거리다 ☐ 빗대다 ☐ 까무룩 ☐ 굼질굼질

✎ 낱말을 읽고, _____ 부분에 밑줄을 그으면서 낱말 공부를 해 보세요.

생생하다

 이것만은 꼭!

뜻 바로 눈앞에 보는 것처럼 분명하고 또렷하다.

예 시에 '뜨끈뜨끈'이라는 말이 들어가니까 감기 걸린 모습이 더 생생하게 느껴진다.

비슷한말 선명하다
'선명하다'는 "뚜렷하고 분명하다."라는 뜻이야.
예 어린 시절의 기억이 선명하게 떠오른다.

둥그스름하다

뜻 약간 둥글다.

예 복숭아가 공처럼 둥그스름하다.

'둥그스름하다'보다 느낌이 센 말은 '뚱그스름하다'야.

옴지락거리다

뜻 작은 것이 느릿느릿 자꾸 움직이다.

예 '발가락이 옴지락거렸다'는 표현을 읽으니 발가락이 느릿느릿 자꾸 움직이는 모습이 떠오른다.

'옴지락거리다'와 '옴지락대다'는 뜻이 같은 말이야.

빗대다

🔵 곧바로 말하지 않고 빙 둘러서 말하다.

📙 '고슴도치처럼 따가운 밤송이'는 '밤송이'를 '고슴도치'에 빗대어 표현한 것이다.

까무룩

🔵 정신이 갑자기 흐려지는 모양.

📙 '까무룩'이라는 표현이 졸린 상태를 잘 나타내 준다.

굼질굼질

🔵 몸을 계속 천천히 느리게 움직이는 모양.

📙 우정이가 굼질굼질 자리에서 움직였다.

'굼질굼질'은 '굼지럭굼지럭'의 준말이야.

꼭! 알아야 할 관용어

정말 아슬아슬하구나.

손에 땀을 쥐게 하는 경기예요.

제가 우리 반에서 가장 빠른 준우와 달리기를 할 때처럼요.

그건 아닌 것 같은데……

빈칸 채우기

'[ ]에 땀을 쥐다'는 아슬아슬하여 마음이 조마조마하다는 뜻입니다.

확인 문제

✎ 44～45쪽에서 공부한 낱말을 떠올리며 문제를 풀어 보세요.

1 다음 뜻을 가진 낱말을 완성하세요.

(1) 대상이 주는 느낌. → | ㅇ | ㅅ |

(2) 자세하거나 분명한 것. → | ㄱ | ㅊ | ㅈ |

(3) 단체의 새로운 소식을 알리는 종이. → | ㅅ | ㅅ | ㅈ |

(4) 하나하나 다 검사하다. → | ㅈ | ㄱ | ㅎ | ㄷ |

(5) 글을 쓸 때 낱말 사이를 띄어서 쓰는 일. → | ㄸ | ㅇ | ㅆ | ㄱ |

2 빈칸에 공통으로 들어갈 알맞은 낱말을 쓰세요.

- **되**살아나다: [   ] 살아나다.
- **되**묻다: 같은 질문을 [   ] 하다.
- **되**돌아보다: 지난 일을 [   ] 생각해 보다.

(   )

3 밑줄 친 낱말을 바르게 사용하지 <u>못한</u> 친구의 이름을 쓰세요.

인상 깊은 일을 구체적으로 정리하면 일어난 일을 자세히 표현할 수 있어.
윤서

친구가 쓴 글을 읽고 있었던 일을 자세히 썼는지 <u>인상</u>해 보았어.
준서

모둠 친구들 모두 각자 맡은 사건을 글과 그림으로 표현한 뒤 하나로 모아 모둠별 소식지를 만들었어.
주원

(   )

✎ 46～47쪽에서 공부한 낱말을 떠올리며 문제를 풀어 보세요.

4 뜻에 알맞은 낱말을 보기 에서 찾아 사다리를 타고 내려간 곳에 쓰세요.

> **보기**
>
> 빗대다   까무룩   굼질굼질   옴지락거리다

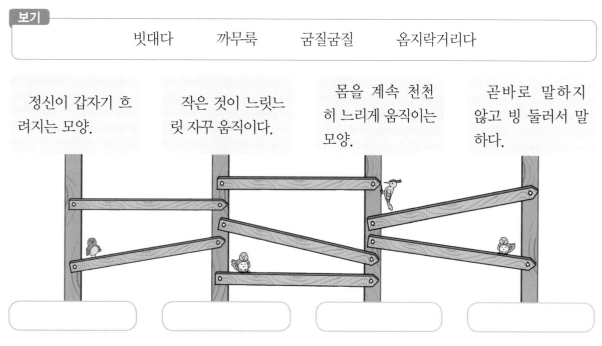

정신이 갑자기 흐려지는 모양.

작은 것이 느릿느릿 자꾸 움직이다.

몸을 계속 천천히 느리게 움직이는 모양.

곧바로 말하지 않고 빙 둘러서 말하다.

5 다음과 같은 뜻을 가진 낱말을 골라 ○표 하세요.

(1) 약간 둥글다.   거무스름하다   둥그스름하다

(2) 바로 눈앞에 보는 것처럼 분명하고 또렷하다.   발생하다   생생하다

6 밑줄 친 낱말을 바르게 사용하지 못한 친구의 이름을 쓰세요.

> 세희: 아기 얼굴이 둥그스름하네.
> 건호: 도둑은 경찰을 보자마자 굼질굼질 도망갔어.
> 유정: 어제 너무 피곤해서 눕자마자 까무룩 잠이 들었어.
> 윤우: '데굴데굴'이라는 표현을 넣으니 공이 굴러가는 모습이 더 생생하게 느껴져.

(   )

사회 교과서 어휘

다음 중 낱말의 뜻을 잘 알고 있는 것에 ✓ 하세요.

☐ 생활 도구　☐ 청동　☐ 주먹도끼　☐ 유적지　☐ 토기　☐ 반달 돌칼

옛날 사람들은 자연에서 얻은 돌이나 나무, 동물 뼈 등으로 도구를 만들어 사용했대. 옛날 사람들이 생활할 때 사용했던 도구와 관련된 낱말들을 배워 보자.

✏️ 낱말을 읽고, 　　　 부분에 밑줄을 그으면서 낱말 공부를 해 보세요.

 이것만은 꼭!

생활 도구

生 살 **생** + 活 살 **활** + 道 기능 **도** + 具 연장 **구**

☞'생(生)'의 대표 뜻은 '나다', '도(道)'의 대표 뜻은 '길', '구(具)'의 대표 뜻은 '갖추다'야.

뜻 사람들이 생활하는 데 필요한 여러 가지 물건.

예 옛날 사람들은 돌이나 나무로 생활 도구를 만들어 사용했다.

관련 어휘 **도구**

'도구'는 어떤 일을 할 때 쓰는 기구를 말해.

청동

靑 푸를 **청** + 銅 구리 **동**

뜻 구리와 주석을 섞어 단단하게 만든 금속.

예 청동은 귀하고 다루기 어려워서 무기나 장신구, 제사를 지내는 도구를 만드는 데 주로 쓰였다.

관련 어휘 **구리, 주석**

'구리'는 잘 늘어나고 잘 구부러지는 붉은 금속을 말하고, '주석'은 단단하지 않고 은빛이 나는 금속을 말해.

주먹도끼

뜻 주먹에 쥐고 쓸 수 있도록 돌로 만든 옛날 도끼.

예 주먹도끼는 돌을 깨뜨려 만들었다.

유적지

遺 남길 유 + 跡 발자취 적 + 地 땅 지

뜻 옛사람이 남긴 건축물이나 무덤 등이 있거나 역사적 사건이 일어났던 장소.

예 우리나라에는 조상들이 남긴 유적지가 많이 있다.

토기

土 흙 토 + 器 그릇 기

뜻 옛날에 쓰던 흙으로 만든 그릇.

예 옛날 사람들은 토기에 음식을 담았다.

이것은 옛날 사람들이 음식을 담을 때 사용한 빗살무늬 토기야.

반달 돌칼

半 반 반 + 달 + 돌칼

뜻 옛날에 이삭을 따거나 곡식을 베는 데에 쓰던 반달 모양의 도구.

예 옛날 사람들은 농사를 지을 때 반달 돌칼을 사용했다.

사회 교과서 어휘

다음 중 낱말의 뜻을 잘 알고 있는 것에 ✓ 하세요.

☐ 탈곡기 ☐ 시루 ☐ 가락바퀴 ☐ 베틀 ☐ 움집 ☐ 온돌

옛날 사람들이 음식이나 옷을 만들 때 어떤 도구들을 사용했을까? 또 옛날 사람들은 어떤 집에 살았을까? 오늘 배울 낱말들을 통해 알아보자.

✏️ 낱말을 읽고, ▨▨▨ 부분에 밑줄을 그으면서 낱말 공부를 해 보세요.

탈곡기

脫 벗을 **탈** + 穀 곡식 **곡** + 機 틀 **기**

뜻 벼, 보리 등의 이삭에서 낟알을 떨어내는 데 쓰는 기계.

예 탈곡기와 같은 농기계를 사용하면서 더 많은 양의 곡식을 얻을 수 있게 되었다.

'낟알'은 껍질을 벗기지 않은 곡식의 알갱이를 말해.

시루

뜻 떡이나 쌀 등을 찌는 데 쓰며 바닥에 구멍이 여러 개 뚫려 있는 둥글고 넓적한 그릇.

예 옛날 사람들은 시루에 생선이나 떡을 쪄서 먹었다.

가락바퀴

뜻 옛날에 실을 만들 때 사용하던 도구.

예 옛날 사람들은 가락바퀴로 식물의 줄기를 꼬아서 실을 만들었다.

베틀

뜻 실로 옷감을 짜는 데 쓰는 틀.

예 옛날 사람들은 식물에서 얻은 실을 옷감으로 만들 때 베틀을 사용했다.

움집

이것만은 꼭!

뜻 땅을 파서 기둥을 세우고 풀과 짚을 덮어 만든 집.

예 움집은 주로 풀이나 짚, 갈대 등을 사용해 만들었다.

관련 어휘 **귀틀집**

'귀틀집'은 통나무를 네모 모양으로 쌓고 그 사이에 진흙을 바른 집을 말해.

▲ 움집

온돌

溫 따뜻할 온 + 堗 굴뚝 돌

뜻 아궁이에 불을 때어 열이 방 밑을 지나 방바닥 전체를 덥히는 장치.

예 우리 조상은 온돌을 사용해 추운 겨울을 따뜻하게 보냈다.

관련 어휘 **아궁이**

'아궁이'는 방이나 솥 등에 불을 때기 위해 만든 구멍을 말해.

확인 문제

✎ 50∼51쪽에서 공부한 낱말을 떠올리며 문제를 풀어 보세요.

1 낱말의 뜻을 보기 에서 찾아 사다리를 타고 내려간 곳에 기호를 쓰세요.

청동　　토기　　유적지　　반달 돌칼

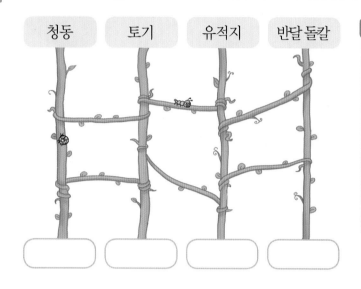

보기
㉠ 옛날에 쓰던 흙으로 만든 그릇.
㉡ 구리와 주석을 섞어 단단하게 만든 금속.
㉢ 옛날에 이삭을 따거나 곡식을 베는 데에 쓰던 반달 모양의 도구.
㉣ 옛사람이 남긴 건축물이나 무덤 등이 있거나 역사적 사건이 일어났던 장소.

2 다음 뜻을 가진 말은 무엇인지 쓰세요.

사람들이 생활하는 데 필요한 여러 가지 물건.

3 낱말의 뜻에 맞게 ( ) 안에서 알맞은 말을 골라 ○표 하세요.

(1) 도구: 어떤 일을 할 때 쓰는 (기구 , 기술).

(2) 주먹도끼: 주먹에 쥐고 쓸 수 있도록 (돌 , 쇠)로 만든 옛날 도끼.

4 ( ) 안에 들어갈 알맞은 낱말을 보기 에서 찾아 쓰세요.

보기
청동
유적지
생활 도구

(1) 옛날 사람들의 생활 모습을 엿볼 수 있는 곳인 (　　　　　)을/를 찾아갔다.

(2) (　　　　　)(으)로 만든 물건에는 청동 검, 청동 거울, 청동 방울 등이 있다.

(3) 옛날 사람들이 사용하던 (　　　　　)에는 흙으로 만든 그릇, 동물 뼈로 만든 낚시 도구 등이 있다.

✎ 52〜53쪽에서 공부한 낱말을 떠올리며 문제를 풀어 보세요.

5 뜻에 알맞은 낱말을 보기 에서 찾아 쓰세요.

보기

온돌	움집	귀틀집	가락바퀴

(1) ( ): 옛날에 실을 만들 때 사용하던 도구.

(2) ( ): 땅을 파서 기둥을 세우고 풀과 짚을 덮어 만든 집.

(3) ( ): 통나무를 네모 모양으로 쌓고 그 사이에 진흙을 바른 집.

(4) ( ): 아궁이에 불을 때어 열이 방 밑을 지나 방바닥 전체를 덥히는 장치.

6 두 친구가 설명하는 '이것'은 무엇인지 쓰세요.

수현: 이것은 바닥에 구멍이 여러 개 뚫려 있는 둥글고 넓적한 그릇을 뜻하는 낱말이야.
재성: 옛날 사람들은 이것을 떡이나 쌀 등을 찔 때 이용했어.

( )

7 빈칸에 들어갈 알맞은 낱말을 글자 카드를 이용하여 만들어 쓰세요.

(1)
오늘날에는 농사를 지을 때 [ ][ ]를 사용한다.

| 탈 | 곡 | 칼 | 기 |

(2)
옛날 사람들은 [ ][ ]에 실을 올려놓고 서로 엮어서 옷감을 만들었다.

| 루 | 틀 | 시 | 베 |

(3)
[ ][ ]은 아궁이에서 나오는 열을 사용하기 때문에 열에너지를 아낄 수 있다.

| 기 | 온 | 열 | 돌 |

(4)
옛날 사람들은 농사짓기를 시작하면서 한곳에 모여 땅을 파고 풀과 짚을 덮은 [ ][ ]을 짓고 살았다.

| 움 | 귀 | 집 | 틀 |

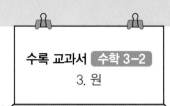

다음 중 낱말의 뜻을 잘 알고 있는 것에 ✔ 하세요.

☐ 원의 중심 ☐ 반지름 ☐ 지름 ☐ 컴퍼스 ☐ 굴렁쇠 ☐ 트랙

그림에 있는 굴렁쇠, 벽시계, 훌라후프의 공통점이 뭔지 아니? 맞아. 모두 원 모양이야. 오늘은 원과 관계있는 낱말들에 대해 배워 볼 거야.

✏️ 낱말을 읽고, ▨▨▨ 부분에 밑줄을 그으면서 낱말 공부를 해 보세요.

원의 중심

圓 둥글 원 + 의 +
中 가운데 중 + 心 마음 심

뜻 원을 그릴 때에 누름 못이 꽂혔던 점.

예 원 모양 종이를 둘로 똑같이 나누어지도록 접었을 때 생기는 선분들이 만나는 점이 원의 중심이다.

관련 어휘 원
'원'은 평면 위의 한 점에서 일정한 거리에 있는 점들을 모두 이은 곡선을 말해.

반지름

半 반 반 + 지름

뜻 원의 중심과 원 위의 한 점을 이은 선분.

예 한 원에서 반지름은 많이 그을 수 있다.

원의 반지름
원의 중심

이것만은 꼭!

지름

뜻 원 위의 두 점을 이으면서 원의 중심을 지나는 선분.

예 원을 둘로 똑같이 나누는 선분이 지름이다.

원의 지름

원의 중심

2
주
차

3회

컴퍼스

뜻 폈다 오므렸다 할 수 있는 두 다리를 이용해 원을 그리는 데 사용하는 기구.

예 컴퍼스를 이용하여 원을 그려 보자.

굴렁쇠

뜻 아이들이 막대로 굴리면서 노는 쇠나 대나무로 만든 둥근 모양의 장난감.

예 굴렁쇠의 반지름을 자로 재어 크기가 같은 원을 그렸다.

굴렁쇠

트랙

뜻 육상 경기장이나 경마장에서 사람이나 말이 달리는 길.

예 달리기 트랙 모양은 원과 선분으로 이루어져 있다.

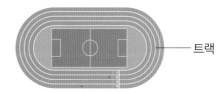

트랙

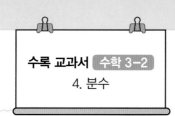
다음 중 낱말의 뜻을 잘 알고 있는 것에 ✓ 하세요.

☐ 진분수   ☐ 가분수   ☐ 자연수   ☐ 대분수   ☐ 칸   ☐ 종이띠

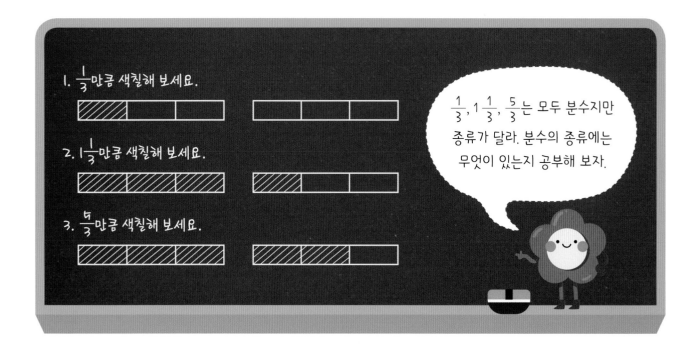

1. $\frac{1}{3}$ 만큼 색칠해 보세요.

2. $1\frac{1}{3}$ 만큼 색칠해 보세요.

3. $\frac{5}{3}$ 만큼 색칠해 보세요.

$\frac{1}{3}$, $1\frac{1}{3}$, $\frac{5}{3}$ 는 모두 분수지만 종류가 달라. 분수의 종류에는 무엇이 있는지 공부해 보자.

✏️ 낱말을 읽고, ▨▨▨ 부분에 밑줄을 그으면서 낱말 공부를 해 보세요.

진분수

眞 참 진 + 分 나눌 분 + 數 셈 수

뜻 분자가 분모보다 작은 분수.

예 $\frac{1}{3}$, $\frac{2}{3}$ 는 진분수이다.

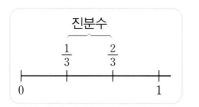

가분수

假 거짓 가 + 分 나눌 분 + 數 셈 수

뜻 분자가 분모와 같거나 분모보다 큰 분수.

예 $\frac{4}{4}$, $\frac{5}{4}$, $\frac{6}{4}$, $\frac{7}{4}$, $\frac{8}{4}$ 은 가분수이다.

자연수

自 스스로 **자** + 然 그럴 **연** +
數 셈 **수**

🈳 1부터 시작하여 하나씩 더하여 얻는 수.

🈯 1, 2, 3과 같은 수를 자연수라고 한다.

대분수

帶 띠 **대** + 分 나눌 **분** +
數 셈 **수**

 이것만은 꼭!

🈳 자연수와 진분수로 이루어진 분수.

🈯 $1\frac{1}{4}$과 같은 분수를 대분수라고 한다.

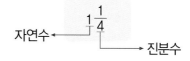

자연수 ←——— $1\frac{1}{4}$ ———→ 진분수

칸

🈳 건물, 기차 안, 책장 등을 일정한 크기나 모양으로 둘러막아 생긴 곳.

🈯 한쪽 벽의 길이가 10미터인 사육장을 5칸으로 똑같이 나누었다.

여러 가지 뜻을 가진 낱말 칸

'칸'은 사방을 둘러막은 선의 안이라는 뜻도 있어.
🈯 답을 쓸 칸이 부족하다.

종이띠

🈳 종이를 길게 오려 만든 띠.

🈯 6센티미터의 종이띠를 $\frac{1}{3}$만큼 색칠해 보자.

'종이띠'는 '종이'와
'띠'를 합쳐서 만든
낱말이야.

확인 문제

✏️ 56~57쪽에서 공부한 낱말을 떠올리며 문제를 풀어 보세요.

1 보기에 있는 글자 카드로 뜻에 알맞은 낱말을 만들어 쓰세요. (같은 글자 카드를 여러 번 쓸 수 있어요.)

보기

| 랙 | 름 | 반 | 심 | 원 | 의 | 중 | 지 | 트 |

(1) 원 위의 두 점을 이으면서 원의 중심을 지나는 선분. → ☐☐

(2) 육상 경기장이나 경마장에서 사람이나 말이 달리는 길. → ☐☐

(3) 원의 중심과 원 위의 한 점을 이은 선분. → ☐☐☐

(4) 원을 그릴 때에 누름 못이 꽂혔던 점. → ☐☐ ☐☐

2 낱말의 뜻에 맞게 ( ) 안에서 알맞은 말을 골라 ○표 하세요.

(1) **굴렁쇠** 아이들이 막대로 굴리면서 노는 쇠나 대나무로 만든 (둥근 , 네모난) 모양의 장난감.

(2) **컴퍼스** 폈다 오므렸다 할 수 있는 두 다리를 이용해 (원 , 삼각형)을 그리는 데 사용하는 기구.

3 빈칸에 들어갈 알맞은 낱말을 찾아 선으로 이으세요.

(1) 컴퍼스의 침을 ☐에 꽂고 원을 그렸다. • • 지름

(2) ☐은 원 안에 그을 수 있는 가장 긴 선분이다. • • 반지름

(3) 원의 지름이 6센티미터이면 ☐은 3센티미터이다. • • 원의 중심

4 뜻에 알맞은 낱말을 빈칸에 쓰세요.

(1)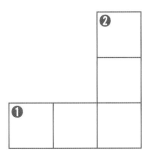

(2)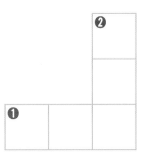

가로 열쇠 ❶ 분자가 분모보다 작은 분수.

세로 열쇠 ❷ 분자가 분모와 같거나 분모보다 큰 분수.

가로 열쇠 ❶ 1부터 시작하여 하나씩 더하여 얻는 수.

세로 열쇠 ❷ 자연수와 진분수로 이루어진 분수.

5 밑줄 친 낱말이 보기 의 뜻으로 쓰이지 않은 것에 ✕표 하세요.

보기
칸: 건물, 기차 안, 책장 등을 일정한 크기나 모양으로 둘러막아 생긴 곳.

(1) 책꽂이 제일 왼쪽 칸에 책을 꽂았다. (   )

(2) 첫 번째 칸에 이름과 나이를 적었다. (   )

6 빈칸에 들어갈 알맞은 낱말을 찾아 선으로 이으세요.

(1)
$2\frac{1}{2}$은 [   ]이다. •

• 진분수

(2)
$\frac{1}{3}$과 $\frac{4}{3}$ 중에서 [   ]는 $\frac{1}{3}$이다. •

• 자연수

(3)
$2\frac{1}{4}$과 $1\frac{3}{4}$의 크기를 비교하려면 먼저 [   ]인 2와 1의 크기를 비교한다. •

• 대분수

과학 교과서 어휘

다음 중 낱말의 뜻을 잘 알고 있는 것에 ☑ 하세요.

☐ 날아다니다 ☐ 빨판 ☐ 탐사 ☐ 기능 ☐ 깃털 ☐ 지느러미

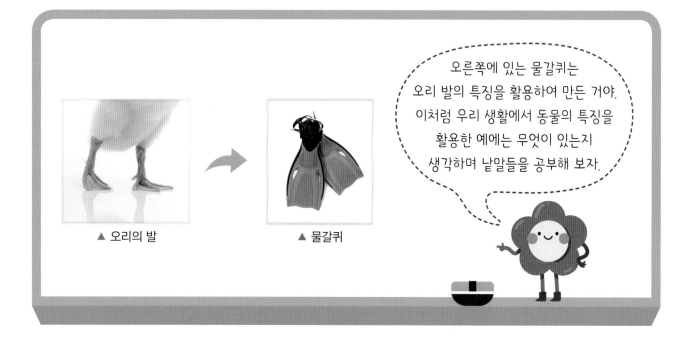

▲ 오리의 발   ▲ 물갈퀴

오른쪽에 있는 물갈퀴는 오리 발의 특징을 활용하여 만든 거야. 이처럼 우리 생활에서 동물의 특징을 활용한 예에는 무엇이 있는지 생각하며 낱말들을 공부해 보자.

✏️ 낱말을 읽고,   부분에 밑줄을 그으면서 낱말 공부를 해 보세요.

날아다니다

이것만은 꼭!

뜻 여기저기 날아서 다니다.

예 공원에서 까치가 날아다니는 모습을 보았다.

둘 이상의 낱말이 합쳐진 말 **'다니다'가 들어간 낱말**

'날아다니다'는 "하늘과 땅 사이에 떠서 위치를 옮겨가다."라는 뜻의 '날다'와 "이리저리 오고 가다."라는 뜻의 '다니다'가 합쳐진 낱말이야. '뛰어다니다'도 '뛰다'와 '다니다'가 합쳐진 낱말이지.

빨판

뜻 다른 동물이나 물체에 달라붙을 때 쓰는 몸의 한 부분.

예 칫솔걸이는 문어 빨판의 특징을 활용하여 만들었다.

빨판

탐사

探 찾을 탐 + 査 조사할 사

뜻 잘 알려지지 않은 것을 빠짐없이 조사함.

예 바다거북의 특징을 활용하여 모든 방향으로 헤엄치면서 물속을 탐사하는 로봇을 만들었다.

2주차

4회

기능

機 기교 기 + 能 능할 능

'기(機)'의 대표 뜻은 '틀'이야.

뜻 어떤 역할이나 작용을 함. 또는 그런 역할이나 작용.

예 로봇에게 있어야 할 기능을 생각해 봅시다.

비슷한말 성능

'성능'은 기계 등이 지닌 성질이나 기능을 뜻하는 낱말이야.

예 이 세탁기는 낡았지만 성능은 훌륭하다.

깃털

뜻 새의 몸을 덮고 있는 털.

예 펭귄의 몸에는 기름기가 있는 깃털이 촘촘하게 박혀 있어 몸이 물에 젖지 않는다.

기름기가 있는 깃털이 촘촘하게 박혀 있네.

지느러미

뜻 물고기나 물에 사는 동물이 몸을 바로잡거나 헤엄치는 데 쓰는 몸의 한 부분.

예 물고기는 지느러미로 헤엄을 친다.

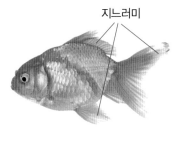

지느러미

과학 교과서 어휘

다음 중 낱말의 뜻을 잘 알고 있는 것에 ✓ 하세요.

□ 지표　□ 흙　□ 깎다　□ 부식물　□ 침식 작용　□ 퇴적 작용

바위나 돌은 오랜 시간이 지나면 어떻게 변할까? 또 흐르는 물은 지표의 모습을 어떻게 변화시킬까? 관련 낱말들을 배우면서 궁금증을 해결해 보자.

✏️ 낱말을 읽고,　　부분에 밑줄을 그으면서 낱말 공부를 해 보세요.

 이것만은 꼭!

지표
地 땅 지 + 表 겉 표

뜻 땅의 표면.

예 흐르는 물은 지표를 변화시킨다.

비슷한말 **지표면**
'지표면'은 지구의 표면이나 땅의 겉면을 뜻하는 낱말이야.
예 더운 여름에는 지표면이 뜨거워진다.

흙

뜻 바위나 돌이 작게 부서진 알갱이와 생물이 썩어 생긴 물질들이 섞인 것.

예 산에 있는 흙은 바위나 돌이 부서져서 만들어진다.

2주차

4회

깎다

🏷 칼과 같은 도구로 물건의 표면이나 껍질을 얇게 벗겨 내다.

예 흐르는 물은 바위나 돌, 흙 등을 깎는다.

여러 가지 뜻을 가진 낱말 깎다
- '깎다'는 "풀이나 털 등을 잘라 내다."라는 뜻도 있어.
  예 머리를 깎다.
- '깎다'는 "값을 낮추다."라는 뜻도 있지.
  예 배추의 값을 깎았다.

부식물

腐 썩을 **부** + 蝕 좀먹을 **식** +
物 물건 **물**

🏷 식물의 뿌리나 죽은 곤충, 나뭇잎 조각 등이 썩어서 만들어진 것.

예 화단 흙에는 운동장 흙보다 물에 뜨는 부식물이 더 많이 섞여 있기 때문에 식물이 잘 자란다.

침식 작용

浸 잠길 **침** + 蝕 좀먹을 **식** +
作 일어날 **작** + 用 작용 **용**
🖱 '작(作)'의 대표 뜻은 '짓다', '용(用)'의 대표 뜻은 '쓰다'야.

🏷 지표의 바위나 돌, 흙 등이 깎여 나가는 것.

예 바닷물의 침식 작용은 바위에 구멍을 뚫는다.

관련 어휘 작용
'작용'은 어떤 현상이나 행동을 일으키거나 영향을 주는 것을 말해.

퇴적 작용

堆 쌓을 **퇴** + 積 쌓을 **적** +
作 일어날 **작** + 用 작용 **용**

🏷 옮겨진 돌이나 흙이 쌓이는 것.

예 바닷물의 퇴적 작용은 모래나 고운 흙을 쌓아 모래 해변을 만든다.

관련 어휘 퇴적물
'퇴적물'은 흙이나 죽은 생물의 뼈 등이 물이나 바람, 빙하 등에 의해 옮겨져 땅의 표면에 쌓인 물질을 말해.

확인 문제

✎ 62~63쪽에서 공부한 낱말을 떠올리며 문제를 풀어 보세요.

1 뜻에 알맞은 낱말을 글자판에서 찾아 묶으세요.(낱말은 가로(─), 세로(│) 방향에 숨어 있어요.)

옷	깃	날	다
실	털	기	능
지	느	러	미
식	탐	사	자

❶ 새의 몸을 덮고 있는 털.
❷ 잘 알려지지 않은 것을 빠짐없이 조사함.
❸ 어떤 역할이나 작용을 함. 또는 그런 역할이나 작용.
❹ 물고기나 물에 사는 동물이 몸을 바로잡거나 헤엄치는 데 쓰는 몸의 한 부분.

2 친구들의 물음에 알맞은 답을 쓰세요.

(1)

다른 동물이나 물체에 달라붙을 때 쓰는 몸의 한 부분을 뜻하는 낱말은?

(2)

"여기저기 날아서 다니다."라는 뜻의 낱말은?

3 ( ) 안에 들어갈 알맞은 낱말을 보기 에서 찾아 쓰세요.

보기
기능	빨판	탐사	날아다니는

(1) 바다를 ( )하는 로봇을 만들고 싶다.

(2) 문어는 ( )이/가 있어 어디에나 잘 달라붙는다.

(3) 주변에서 볼 수 있는 ( ) 동물에는 참새, 까치 등이 있다.

(4) 이 제품은 온도와 습도를 잴 수 있을 뿐만 아니라 시계 ( )도 있다.

✎ 64~65쪽에서 공부한 낱말을 떠올리며 문제를 풀어 보세요.

4 다음 뜻을 가진 낱말을 완성하세요.

(1) 바위나 돌이 작게 부서진 알갱이와 생물이 썩어 생긴 물질들이 섞인 것. → | ㅎ | |

(2) 땅의 표면. → | ㅈ | ㅍ |

(3) 식물의 뿌리나 죽은 곤충, 나뭇잎 조각 등이 썩어서 만들어진 것. → | ㅂ | ㅅ | ㅁ |

5 낱말의 뜻에 맞게 ( ) 안에서 알맞은 말을 골라 ○표 하세요.

(1) **침식 작용** 지표의 바위나 돌, 흙 등이 (쌓이는 , 깎여 나가는) 것.

(2) **퇴적 작용** 옮겨진 돌이나 흙이 (쌓이는 , 깎여 나가는) 것.

6 밑줄 친 낱말의 뜻을 찾아 선으로 이으세요.

(1) 사과를 깎아 주었다. •

(2) 강아지 털을 깎아 주었다. •

(3) 아주머니께서 콩나물의 값을 깎아 주셨다. •

• 값을 낮추다.

• 풀이나 털 등을 잘라 내다.

• 칼과 같은 도구로 물건의 표면이나 껍질을 얇게 벗겨 내다.

7 밑줄 친 낱말의 쓰임이 알맞으면 ○표, 알맞지 않으면 ✕표 하세요.

(1) 강 하류는 침식 작용이 활발해 여러 물질이 쌓인다. ( )

(2) 바위나 돌은 오랜 시간에 걸쳐 작게 부서져 흙이 된다. ( )

(3) 소중한 흙이 깎여 나가는 것을 막을 수 있는 시설물을 만들어 보자. ( )

한자 어휘

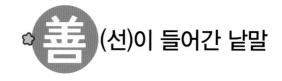

✿ 善(선)이 들어간 낱말

✏️ '善(선)'이 들어간 낱말을 읽고,　　　　부분에 밑줄을 그으면서 낱말 공부를 해 보세요.

善
착할 선

'선(善)'은 양을 뜻하는 글자와 눈을 뜻하는 글자를 합쳐 만든 글자야. '선(善)'은 양의 눈을 가진 사람, 다시 말해 착한 사람이라는 뜻을 표현한 글자야. 낱말에서 '선(善)'은 '착하다', '좋다' 등의 뜻을 나타내.

개과천善
善행
다다익善
최善

착하다 善

개과천선
改 고칠 개 + 過 잘못 과 + 遷 바꿀 천 + 善 착할 선
🖱️'과(過)'의 대표 뜻은 '지나다', '천(遷)'의 대표 뜻은 '옮기다'야.

뜻 잘못이나 못된 마음을 고쳐 올바르고 착하게 됨.

예 말썽만 부리던 세혁이는 개과천선을 하여 모범생이 되었다.

좋다 善

다다익선
多 많을 다 + 多 많을 다 + 益 더할 익 + 善 좋을 선

뜻 많으면 많을수록 좋음.

예 다다익선이라고 일을 도와줄 사람이 많을수록 좋다.

선행
善 착할 선 + 行 행위 행
🖱️'행(行)'의 대표 뜻은 '다니다'야.

뜻 착한 일.

예 우리 할아버지께서는 오래 전부터 어려운 이웃을 돕는 선행을 해 오고 계신다.

최선
最 가장 최 + 善 좋을 선

뜻 가장 좋고 훌륭함.

예 몸이 아플 때에는 쉬는 게 최선이다.

여러 가지 뜻을 가진 낱말　최선
'최선'은 모든 정성과 힘이라는 뜻도 있어.
예 최선을 다해 달렸다.

大(대)가 들어간 낱말

정답과 해설 ▶ 30쪽

✏️ '大(대)'가 들어간 낱말을 읽고,   부분에 밑줄을 그으면서 낱말 공부를 해 보세요.

大
클 대

 '대(大)'는 양팔을 벌리고 있는 사람을 본떠 만든 것으로, '크다'라는 뜻을 표현한 글자야. 낱말에서 '대(大)'는 '많다'의 뜻으로 쓰이기도 해.

大기만성
大로
大량
大식가

크다 大

대기만성
大 클 대 + 器 그릇 기 + 晩 늦을 만 + 成 이룰 성

뜻 큰 그릇을 만드는 데는 시간이 오래 걸린다는 뜻으로, 크게 될 사람은 많은 노력을 한 끝에 늦게 성공한다는 말.

예 대기만성이라더니 포기하지 않고 끝까지 노력하니까 결국 성공하는구나.

대로
大 클 대 + 路 길 로

뜻 크고 넓은 길.

예 우리 학교는 대로 근처에 있다.

비슷한말 큰길
'큰길'도 크고 넓은 길을 뜻하는 낱말이야.
예 큰길에서 공을 가지고 놀면 위험해.

많다 大

대량
大 많을 대 + 量 헤아릴 량

뜻 아주 많은 양.

예 물건을 대량으로 사야 싸게 살 수 있다.

비슷한말 다량
'다량'은 많은 양을 뜻하는 낱말이야.
예 한 유적지에서 다량의 토기가 발견되었다.

대식가
大 많을 대 + 食 먹을 식 + 家 정통한 사람 가
'가(家)'의 대표 뜻은 '집'이야.

뜻 음식을 보통 사람보다 많이 먹는 사람.

예 그는 한 번에 밥을 세 공기씩 먹는 대식가이다.

반대말 소식가
'소식가'는 음식을 보통 사람보다 적게 먹는 사람이야.
예 삼촌은 밥 한 공기도 못 먹는 소식가이다.

확인 문제

✎ 68쪽에서 공부한 낱말을 떠올리며 문제를 풀어 보세요.

1 보기에 있는 글자 카드로 뜻에 알맞은 낱말을 만들어 쓰세요. (같은 글자 카드를 여러 번 쓸 수 있어요.)

보기

천 개 다 선 익 행 과

(1) 착한 일. → ⬜⬜

(2) 많으면 많을수록 좋음. → ⬜⬜⬜⬜

(3) 잘못이나 못된 마음을 고쳐 올바르고 착하게 됨. → ⬜⬜⬜⬜

2 밑줄 친 '선'이 '착하다'의 뜻으로 쓰인 것에 ○표 하세요.

(1) 개과천<u>선</u>

(2) 다다익<u>선</u>

(   )   (   )

3 밑줄 친 낱말의 뜻을 보기에서 찾아 기호를 쓰세요.

보기

㉠ 모든 정성과 힘.   ㉡ 가장 좋고 훌륭함.

(1) <u>최선</u>을 다했기 때문에 후회는 없다. (   )

(2) 이 일을 빨리 끝낼 <u>최선</u>의 방법은 우리 모두 힘을 합치는 것이다. (   )

4 ( ) 안에 들어갈 알맞은 낱말을 보기에서 찾아 쓰세요.

보기

최선
선행
다다익선

(1) (   )이라고 아이들이 많을수록 놀이는 더 재미있다.

(2) 글을 잘 쓰는 (   )의 방법은 책을 많이 읽는 것이다.

(3) 배고픈 아이에게 치킨을 여러 번 준 치킨집 주인의 (   )
이 알려졌다.

✎ 69쪽에서 공부한 낱말을 떠올리며 문제를 풀어 보세요.

5 뜻에 알맞은 낱말을 빈칸에 쓰세요.

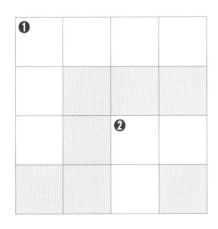

가로 열쇠 ❶ 큰 그릇을 만드는 데는 시간이 오래 걸린다는 뜻으로, 크게 될 사람은 많은 노력을 한 끝에 늦게 성공한다는 말.
❷ 크고 넓은 길.

세로 열쇠 ❶ 음식을 보통 사람보다 많이 먹는 사람.
❷ 아주 많은 양.

6 다음 낱말과 뜻이 비슷한 낱말에 ○표 하세요.

(1) 대로 　　　 찻길　　　 큰길　　　 지름길　　　 갈림길

(2) 대량 　　　 다량　　　 소량　　　 식사량　　　 사용량

7 빈칸에 들어갈 알맞은 낱말을 글자 카드를 이용하여 만들어 쓰세요.

(1) [　][　][　]인 이모는 무엇이든 많이 먹는데도 살이 안 찐다.
　　식　소　가　대

(2) 돌잔치에 오실 많은 손님들에게 나누어 주기 위해 수건을 [　][　]으로 샀다.
　　대　분　량　소

(3) 만화 그리는 일만 십 년이 넘도록 하더니 결국 유명해졌구나. '[　][　][　][　]'이라는 말이 맞는 것 같아.
　　만　대　성　기

✎ 2주차 1~5회에서 공부한 낱말을 떠올리며 문제를 풀어 보세요.

낱말 뜻

1 뜻에 알맞은 낱말을 **보기**에서 찾아 쓰세요.

> **보기**
>
> 탐사   인상   온돌   컴퍼스   둥그스름하다

(1) (   ): 약간 둥글다.

(2) (   ): 대상이 주는 느낌.

(3) (   ): 잘 알려지지 않은 것을 빠짐없이 조사함.

(4) (   ): 아궁이에 불을 때어 열이 방 밑을 지나 방바닥 전체를 덥히는 장치.

(5) (   ): 폈다 오므렸다 할 수 있는 두 다리를 이용해 원을 그리는 데 사용하는 기구.

낱말 뜻

2 ~ 3 낱말의 뜻에 맞게 (   ) 안에서 알맞은 말을 골라 ○표 하세요.

2

토기	옛날에 쓰던 (돌 , 흙)(으)로 만든 그릇.

3

대분수	자연수와 (진분수 , 가분수)로 이루어진 분수.

비슷한 말

4 ⬜ 안의 낱말과 뜻이 비슷한 낱말은 무엇인가요? (   )

생생하다	① 깨끗하다 ② 상상하다 ③ 선명하다 ④ 점검하다 ⑤ 충분하다

둘 이상의 낱말이 합쳐진 말

5 다음 낱말은 어떤 낱말이 합쳐진 것인지 쓰세요.

(1)

날아다니다	→	⬜	+	⬜

(2)

뛰어다니다	→	⬜	+	⬜

뜻을 더해 주는 말

6 빈칸에 공통으로 들어갈 알맞은 말은 무엇인가요? (   )

- ☐살아나다: 다시 살아나다.
- ☐감다: 원래대로 감거나 다시 감다.
- ☐돌아보다: 지난 일을 다시 생각해 보다.

① 되   ② 들   ③ 맨
④ 풋   ⑤ 햇

한자 성어

7 (   ) 안에서 알맞은 낱말을 골라 ○표 하세요.

(1) (다다익선 , 대기만성)이라고 좋은 습관은 많을수록 좋다.

(2) (다다익선 , 대기만성)이라는 말처럼 이모부는 쉰 살이 넘어서 사업에 크게 성공하였다.

낱말 활용

8 ~ 10 (   ) 안에 들어갈 알맞은 낱말을 보기 에서 찾아 쓰세요.

> 보기
>
> 기능   대량   시루

8 할머니께서는 떡을 (   )에 넣고 찌셨다.

9 학교 급식은 학교의 모든 학생이 먹기 때문에 음식을 (   )(으)로 만든다.

10 요즈음 나오는 휴대 전화는 게임이나 사진 편집 등 (   )이/가 다양하다.

3주차 어휘 미리 보기

한 주 동안 공부할 어휘들이야.
쏙 한번 훑어볼까?

1회 학습 계획일 ◯월 ◯일

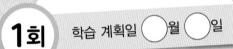

국어 교과서 어휘

헤아리다	감정
집중하다	진심
반응하다	평소
고려하다	쪽지
존중하다	당황하다
밝히다	화해하다

2회 학습 계획일 ◯월 ◯일

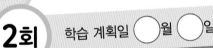

사회 교과서 어휘

세시 풍속	혼례
차례	혼인
부럼	주례
한식	폐백
동지	확대 가족
설빔	핵가족

3회 학습 계획일 ◯월 ◯일

수학 교과서 어휘

들이	그램
리터	킬로그램
밀리리터	톤
두께	저울
두껍다	포대
표시되다	단

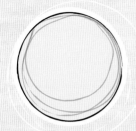

4회 학습 계획일 ◯월 ◯일

과학 교과서 어휘	
지형	차지하다
상류	부피
경사	상태
절벽	고체
가파르다	액체
시설물	기체

5회 학습 계획일 ◯월 ◯일

한자 어휘	
동문서답	세면
질문	면도
문병	사면초가
위문	수면

어휘력 테스트

4주차
어휘 학습으로
가 보자!

국어 교과서 어휘

다음 중 낱말의 뜻을 잘 알고 있는 것에 ✔ 하세요.

☐ 헤아리다 ☐ 집중하다 ☐ 반응하다 ☐ 고려하다 ☐ 존중하다 ☐ 밝히다

✏️ 낱말을 읽고,　　　　부분에 밑줄을 그으면서 낱말 공부를 해 보세요.

헤아리다

뜻 어떤 일을 짐작하거나 미루어 생각하다.

예 전화를 건 지수가 전화를 받은 정아의 상황은 헤아리지 않고 계속 자기 할 말만 했다.

여러 가지 뜻을 가진 낱말 헤아리다

'헤아리다'는 "수량을 세다."라는 뜻도 있어.
예 바지 주머니에 있던 동전이 몇 개인지 헤아려 보았다.

집중하다

集 모을 집 + 中 가운데 중 + 하다

이것만은 꼭!

뜻 어떤 일에 모든 힘을 쏟다.

예 대화를 나눌 때 상대가 하는 말을 집중해서 듣지 않으면 상대가 무슨 말을 하는지 알 수 없다.

여러 가지 뜻을 가진 낱말 집중하다

'집중하다'는 "한곳을 중심으로 하여 모이다."라는 뜻도 있어.
예 농촌 인구가 도시로 집중하고 있다.

'쏟다'는 "마음이나 정신 등을 어떤 대상이나 일에 기울이다."라는 뜻이야.

반응하다

反 돌이킬 반 + 應 응할 응 + 하다

뜻 어떤 자극에 대하여 일정한 동작이나 태도를 보이다.

예 대화를 할 때에는 고개를 끄덕이거나 상대를 바라보는 등 상대가 하는 말에 알맞게 반응해야 한다.

'자극'은 마음이나 몸에 영향을 미치는 것을 뜻해.

고려하다

考 생각할 **고** + 慮 생각할 **려** + 하다

🔖 **뜻** 생각하고 헤아려 보다.

📝 **예** 다른 사람과 대화할 때에는 대화 상대가 누구인지, 어떤 대화 상황인지 고려해야 한다.

존중하다

尊 높을 **존** + 重 귀중할 **중** + 하다

👆'중(重)'의 대표 뜻은 '무겁다'야.

🔖 **뜻** 의견이나 사람을 높여 귀중하게 생각하다.

📝 **예** 상대를 바라보고 상대가 하는 말을 존중하며 대화하는 것이 바른 대화 태도이다.

밝히다

🔖 **뜻** 모르거나 알려지지 않은 사실을 알리다.

📝 **예** 전화로 대화할 때에는 먼저 자신이 누구인지 밝혀야 한다.

여러 가지 뜻을 가진 낱말 **밝히다**

'밝히다'는 "어두운 곳을 환하게 하다."라는 뜻도 있어.
📝 **예** 촛불로 방 안을 밝히다.

꼭! 알아야 할 속담

○표 하기 '(닭 쫓던 개 지붕 쳐다보듯 , 지렁이도 밟으면 꿈틀한다)'은/는 아무리 지위가 낮거나 순하고 좋은 사람이라도 너무 업신여기면 가만있지 않는다는 뜻입니다.

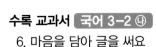

다음 중 낱말의 뜻을 잘 알고 있는 것에 ✓ 하세요.

☐ 감정 ☐ 진심 ☐ 평소 ☐ 쪽지 ☐ 당황하다 ☐ 화해하다

✎ 낱말을 읽고,   부분에 밑줄을 그으면서 낱말 공부를 해 보세요.

 이것만은 꼭!

감정
感 느낄 감 + 情 뜻 정

뜻 일이나 물건 등에 대한 느낌이나 기분.

예 친구에게 사과하는 글을 쓸 때에는 자신의 감정을 솔직하게 쓰는 것이 좋다.

글자는 같지만 뜻이 다른 낱말 감정

'감정'은 물건의 특징이나 좋고 나쁨, 진짜와 가짜 등을 가리는 것이라는 전혀 다른 뜻도 있어.

예 보석 감정 결과 가짜라는 것이 드러났다.

진심
眞 참 진 + 心 마음 심

뜻 거짓이 없는 진실한 마음.

예 자신의 마음을 전할 때에는 상대의 기분을 생각하며 진심으로 말하는 것이 중요하다.

평소
平 평상시 평 + 素 평소 소
'평(平)'의 대표 뜻은 '평평하다'. '소(素)'의 대표 뜻은 '본디'야.

뜻 특별한 일이 없는 보통 때.

예 평소 자신의 모습은 어떠한지 돌아보자.

비슷한말 평상시

'평상시'도 특별한 일이 없는 보통 때를 뜻하는 낱말이야.

예 내가 평상시 즐겨 먹는 음식은 된장찌개이다.

넌 평소 어떤 운동을 즐겨 하니?

난 평소에 배드민턴을 즐겨 해.

쪽지

쪽 + 紙 종이 **지**

뜻 어떤 내용의 글을 적은 작은 종잇조각.

예 짝에게 생일잔치에 오라는 쪽지를 썼다.

당황하다

唐 당황할 **당** +
慌 어리둥절할 **황** + 하다

👆 '당(唐)'의 대표 뜻은 '당나라'야.

뜻 놀라거나 매우 급하여 어떻게 해야 할지를 모르다.

예 달리기를 잘 못하는데 이어달리기 선수로 뽑혀서 당황하였다.

반대말 **태연하다**

'태연하다'는 "머뭇거리거나 두려워할 상황에서도 아무렇지 않고 평소와 같다."
라는 뜻이야.

예 나는 무서웠지만 태연한 척 행동했다.

화해하다

和 화할 **화** + 解 풀 **해** +
하다

뜻 싸움을 멈추고 서로 가지고 있던 나쁜 마음을 풀어 없애다.

예 다툰 친구와 화해하고 싶을 때에는 상냥하게 말해야 한다.

꼭! 알아야 할 관용어

연필을 필통에 넣고 다니라고 몇 번을 말했니? 정말 내 입만 아프다.

연필을 필통에 넣었는데 필통 지퍼를 안 잠갔나 봐요. 이젠 필통 지퍼 잠그라는 잔소리를 해 주세요.

빈칸
채우기

'[ ]만 아프다'는 여러 번 말해도 받아들이지 않아 말한 보람이 없다는 뜻입니다.

확인 문제

✏️ 76～77쪽에서 공부한 낱말을 떠올리며 문제를 풀어 보세요.

1 뜻에 알맞은 낱말을 빈칸에 쓰세요.

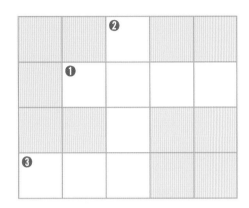

가로 열쇠 ❶ 어떤 일에 모든 힘을 쏟다.
❸ 모르거나 알려지지 않은 사실을 알리다.

세로 열쇠 ❷ 의견이나 사람을 높여 귀중하게 생각하다.

2 낱말의 뜻에 맞게 빈칸에 들어갈 알맞은 말을 완성하세요.

(1) **고려하다**

ㅅ ㄱ 하고 헤아려 보다.

(2) **헤아리다**

어떤 일을 ㅈ ㅈ 하거나 미루어 생각하다.

3 보기 의 밑줄 친 낱말과 같은 뜻으로 쓰인 것에 ◯표 하세요.

보기
전학 온 아이에게 먼저 내 이름을 밝히고 인사를 하였다.

(1) 간판의 불빛이 거리를 밝히고 있다. (   )

(2) 가로등이 어두운 골목을 밝히고 있다. (   )

(3) 경찰은 사건의 원인을 밝히기 위해 노력했다. (   )

4 (   ) 안에 들어갈 알맞은 낱말을 보기 에서 찾아 쓰세요.

보기
밝히지
반응하지
고려해야

(1) 대화할 때에는 상대의 기분도 (   ) 한다.

(2) 상대의 말에 알맞게 (   ) 않으면 대화를 잘할 수 없다.

(3) 전화를 건 친구가 자신의 이름을 (   ) 않고 자기 할 말만 하였다.

✏️ 78~79쪽에서 공부한 낱말을 떠올리며 문제를 풀어 보세요.

5 뜻에 알맞은 낱말을 보기 에서 찾아 쓰세요.

> **보기**
>
> 감정   진심   화해하다   당황하다

(1) (   ): 거짓이 없는 진실한 마음.

(2) (   ): 일이나 물건 등에 대한 느낌이나 기분.

(3) (   ): 놀라거나 매우 급하여 어떻게 해야 할지를 모르다.

(4) (   ): 싸움을 멈추고 서로 가지고 있던 나쁜 마음을 풀어 없애다.

6 낱말의 뜻에 맞게 빈칸에 들어갈 알맞은 말을 완성하세요.

(1)

| 평소 | 특별한 일이 없는 | ㅂ | ㅌ | ㅍ |. |

(2)

| 쪽지 | 어떤 내용의 글을 적은 작은 | ㅈ | ㅇ | ㅈ | ㄱ |. |

7 빈칸에 들어갈 알맞은 낱말을 글자 카드를 이용하여 만들어 쓰세요.

(1) 상대에게 쪽지를 쓸 때에는 하고 싶은 말을 [   ]을 담아 쓴다.

진   리   점   심

(2) 식탁 위에 간식을 먹고 학원에 가라는 [   ]가 놓여 있었다.

수   지   파   쪽

(3) 친구와 싸운 뒤 [   ]하고 싶어 쪽지를 보냈다.

해   당   황   화

(4) [   ]에 운동을 안 하다가 갑자기 하려니 몹시 힘이 든다.

균   평   지   소

사회 교과서 어휘

다음 중 낱말의 뜻을 잘 알고 있는 것에 ✓ 하세요.

☐ 세시 풍속 ☐ 차례 ☐ 부럼 ☐ 한식 ☐ 동지 ☐ 설빔

위의 두 그림은 옛날 설날의 세시 풍속이고, 아래의 두 그림은 오늘날 설날의 세시 풍속이야. 이처럼 옛날과 오늘날의 세시 풍속에는 같은 점도 있고 다른 점도 있어. 세시 풍속에 대한 낱말들을 공부해 보자.

✏️ 낱말을 읽고,   부분에 밑줄을 그으면서 낱말 공부를 해 보세요.

 이것만은 꼭!

세시 풍속

歲 해 세 + 時 때 시 +
風 풍속 풍 + 俗 풍속 속
☞ '풍(風)'의 대표 뜻은 '바람'이야.

뜻 해마다 일정한 시기에 되풀이하여 행해 온 고유의 풍속.

예 설날에는 떡국을 먹고, 어른께 세배하는 세시 풍속이 있다.

관련 어휘 풍속

'풍속'은 옛날부터 전해 오는 생활 습관을 말해.

차례

차 + 禮 예도 례

뜻 설날이나 추석 같은 명절에 조상에게 올리는 제사.

예 민준이네는 가족들이 정성스럽게 준비한 음식으로 차례를 지냈다.

관련 어휘 명절

'명절'은 해마다 일정하게 지키어 즐기거나 기념하는 때를 말해.

3
주
차

2회

부럼

뜻 정월 대보름날 이른 아침에 한 해의 건강을 비는 뜻에서 먹는 호두, 땅콩 등의 딱딱한 열매.

예 정월 대보름의 대표적인 풍속으로는 '부럼 깨물기'가 있다.

관련 어휘 정월 대보름

'정월 대보름'은 우리나라의 명절 중 하나로 음력 1월 15일을 말해.

한식
寒 찰 한 + 食 먹을 식

뜻 우리나라의 명절 중 하나로 불을 피우지 않고 찬 음식을 먹는 날. 4월 5일이나 6일쯤임.

예 찬 음식을 먹는 날이기 때문에 '한식'이라는 이름이 붙었다.

동지
冬 겨울 동 + 至 이를 지

뜻 일 년 중에 밤이 가장 긴 날로, 한 해를 스물넷으로 나눈 때 가운데 하나. 12월 22일이나 23일쯤임.

예 동지는 한 해를 마무리하고 새해를 맞이하는 명절이다.

반대말 하지

'하지'는 일 년 중에 낮이 가장 긴 날로, 한 해를 스물넷으로 나눈 때 가운데 하나. 6월 21일쯤임.

예 낮이 길어진 것을 보니 하지가 가까워진 것을 알 수 있다.

설빔

뜻 설날을 맞이하여 새로 마련해 입거나 신는 옷이나 신발.

예 옛날에는 설날이 되면 설빔을 입고 어른들께 세배를 드렸다.

설빔을 입고 어른들께 세배를 드려야지.

사회 교과서 어휘

다음 중 낱말의 뜻을 잘 알고 있는 것에 ✓ 하세요.

☐ 혼례 ☐ 혼인 ☐ 주례 ☐ 폐백 ☐ 확대 가족 ☐ 핵가족

전통 혼례 모습이야. 오늘날 결혼식의 모습과 많이 다르지? 옛날과 오늘날의 결혼 풍습, 가족 형태와 관련된 낱말을 공부해 보자.

✏️ 낱말을 읽고, ▨▨▨ 부분에 밑줄을 그으면서 낱말 공부를 해 보세요.

혼례
婚 혼인할 혼 + 禮 예도 례

🔵 뜻 남자와 여자가 부부가 됨을 알리는 식.

🔵 예 옛날에는 결혼하는 날 신랑이 말을 타고 신부의 집으로 가서 혼례를 치렀다.

비슷한말 결혼식, 예식

'결혼식', '예식'도 남자와 여자가 부부가 됨을 알리는 식을 뜻하는 낱말이야.
🔵 예 어제는 이모가 결혼식을 하는 날이었다.

혼인
婚 혼인할 혼 + 姻 혼인 인

🔵 뜻 남자와 여자가 부부가 되는 일.

🔵 예 부부는 혼인으로 맺어진 사이이다.

비슷한말 결혼

'결혼'도 남자와 여자가 부부가 되는 것을 뜻하는 낱말이야.
🔵 예 우리 부모님은 십이 년 전에 결혼을 하셨다.

주례

主 주관할 주 + 禮 예도 례
☜ '주(主)'의 대표 뜻은 '임금'이야.

뜻 결혼식에서 신랑, 신부에게 도움이 되는 이야기를 하고 결혼 선서 등을 진행하는 사람. 또는 그런 일.

예 신랑과 신부는 주례와 손님들의 축복 속에서 부부가 되었다.

3 주 차

2회

폐백

幣 폐백 폐 + 帛 폐백 백
☜ '폐(幣)'의 대표 뜻은 '화폐', '백(帛)'의 대표 뜻은 '비단'이야.

뜻 결혼식을 마치고 신부가 신랑의 집안 어른들께 첫인사를 올리는 것을 말함. 오늘날에는 결혼식장에서 신랑, 신부가 양쪽 집안에 함께 절을 올림.

예 결혼식을 마친 신랑과 신부는 한복으로 갈아입고 양쪽 집안 어른들께 폐백을 드렸다.

확대 가족

擴 넓힐 확 + 大 클 대 + 家 집 가 + 族 일가 족
☜ '족(族)'의 대표 뜻은 '겨레'야.

뜻 부모와 결혼한 자녀가 함께 사는 가족.

예 우리 집은 할아버지, 할머니, 아버지, 어머니, 나, 여동생이 함께 사는 확대 가족이다.

이것만은 꼭!

핵가족

核 씨 핵 + 家 집 가 + 族 일가 족

뜻 부모와 결혼하지 않은 자녀가 함께 사는 가족.

예 윤호네 집은 아버지, 어머니, 누나, 윤호가 함께 사는 핵가족이다.

✎ 82~83쪽에서 공부한 낱말을 떠올리며 문제를 풀어 보세요.

1 뜻에 알맞은 낱말을 글자판에서 찾아 묶으세요. (낱말은 가로(─), 세로(│) 방향에 숨어 있어요.)

날	동	차	레
설	빔	지	명
떡	부	한	절
국	럼	식	사

❶ 해마다 일정하게 지키어 즐기거나 기념하는 때.
❷ 설날이나 추석 같은 명절에 조상에게 올리는 제사.
❸ 설날을 맞이하여 새로 마련해 입거나 신는 옷이나 신발.
❹ 우리나라의 명절 중 하나로 불을 피우지 않고 찬 음식을 먹는 날.

2 다음 뜻을 가진 말은 무엇인지 쓰세요.

해마다 일정한 시기에 되풀이하여 행해 온 고유의 풍속.

3 낱말의 뜻에 맞게 ( ) 안에서 알맞은 말을 골라 ○표 하세요.

(1) 동지 일 년 중에 (낮 , 밤)이 가장 긴 날로, 한 해를 스물넷으로 나눈 때 가운데 하나.

(2) 하지 일 년 중에 (낮 , 밤)이 가장 긴 날로, 한 해를 스물넷으로 나눈 때 가운데 하나.

4 밑줄 친 낱말을 바르게 사용하지 못한 친구의 이름을 쓰세요.

슬기: 추석에는 수확한 곡식과 과일로 <u>부럼</u>을 지냈어.
지용: 옛날에는 설날 아침이 되면 누구나 일찍 일어나 세수하고 <u>설빔</u>으로 갈아입었대.
건우: 정월 대보름과 한식의 <u>세시 풍속</u>이 서로 다른 까닭은 계절마다 사람들이 하는 일이 다르기 때문이야.

( )

✎ 84～85쪽에서 공부한 낱말을 떠올리며 문제를 풀어 보세요.

5 뜻에 알맞은 낱말을 빈칸에 쓰세요.

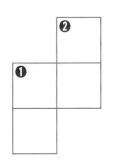

가로 열쇠 ❶ 남자와 여자가 부부가 됨을 알리는 식.

세로 열쇠 ❶ 남자와 여자가 부부가 되는 일.
❷ 결혼식에서 신랑, 신부에게 도움이 되는 이야기를 하고 결혼 선서 등을 진행하는 사람. 또는 그런 일.

6 낱말의 뜻에 맞게 ( ) 안에서 알맞은 말을 골라 ○표 하세요.

(1) 핵가족 | 부모와 (결혼한 , 결혼하지 않은) 자녀가 함께 사는 가족.

(2) 확대 가족 | 부모와 (결혼한 , 결혼하지 않은) 자녀가 함께 사는 가족.

7 두 친구가 설명하는 '이것'은 무엇인지 쓰세요.

수현: 이것은 원래 결혼식을 마치고 신부가 신랑의 집안 어른들께 첫인사를 올리던 것을 말해.
재성: 오늘날 결혼식장에서 신랑, 신부가 양쪽 집안에 함께 절을 올리는 것을 이것이라고 해.

( )

8 (1)～(3)에 들어갈 낱말을 완성하세요.

　우리 집은 할아버지, 할머니, 부모님 그리고 내가 함께 사는 (1) [ㅎ][ㄷ] [ㄱ][ㅈ]이었다. 그런데 몇 달 전, 아빠 회사 때문에 할아버지, 할머니와 따로 살게 되면서 지금은 부모님과 나만 사는 (2) [ㅎ][ㄱ][ㅈ]이 되었다. 지난 주말에 할아버지 댁에 갔는데 할아버지께서 안 계셨다. 할아버지께서는 (3) [ㅈ][ㄹ]를 보러 결혼식장에 가신 것이었다. 할아버지께서 신랑, 신부에게 어떤 도움이 되는 말씀을 하실지 궁금했다.

수학 교과서 어휘

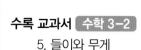
다음 중 낱말의 뜻을 잘 알고 있는 것에 ✓ 하세요.

☐ 들이 ☐ 리터 ☐ 밀리리터 ☐ 두께 ☐ 두껍다 ☐ 표시되다

주전자, 물병, 물컵에 물이 얼마나 들어가는지 알려면 들이에 대해 알아야 해. 들이와 관련된 낱말들을 알아보자.

주전자와 물병, 물컵에 물이 얼마나 들어갈까?

✏ 낱말을 읽고,　부분에 밑줄을 그으면서 낱말 공부를 해 보세요.

들이

뜻 통이나 그릇 안쪽 공간의 크기.

예 물병과 주스병의 들이를 비교하려면 주스병에 물을 가득 채운 뒤 물병에 옮겨 담아 본다.

'공간'은 아무것도 없는 빈 곳이나 자리를 뜻하는 낱말이야.

리터

이것만은 꼭!

뜻 들이를 나타내는 단위. 1리터는 한 변이 10센티미터인 상자에 담을 수 있는 양으로, 1L라고 씀.

예 페트병에 콜라가 1.5리터 들어 있다.

10 cm
10 cm
10 cm

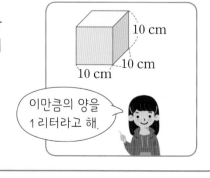
이만큼의 양을 1 리터라고 해.

밀리리터

뜻 들이를 나타내는 단위. 1밀리리터는 한 변이 1센티미터인 상자에 담을 수 있는 양으로, 1mL라고 씀.

예 1밀리리터가 1000개 모이면 1리터가 된다.

이만큼의 양을 1밀리리터라고 해.

두께

뜻 두꺼운 정도.

예 우유병과 물병의 유리 두께를 비교해 보자.

우유병　　물병

두껍다

뜻 두께가 보통의 정도보다 크다.

예 책이 두껍다.

반대말 얇다

'얇다'는 "두께가 두껍지 않다."라는 뜻이야.

예 책이 얇다.

책이 두껍다.　　책이 얇다.

표시되다

標 표할 표 + 示 보일 시 + 되다

뜻 어떤 내용을 알리는 글자나 숫자 등이 겉에 드러나 보이다.

예 생활에서 들이의 단위가 표시되어 있는 물건을 찾아보자.

다음 중 낱말의 뜻을 잘 알고 있는 것에 ✓ 하세요.

☐ 그램 ☐ 킬로그램 ☐ 톤 ☐ 저울 ☐ 포대 ☐ 단

햄버거와 브로콜리의 무게를 저울로 달고 있네. 햄버거와 브로콜리의 무게를 나타내는 단위는 무엇일까? 무게와 관련된 낱말들을 배워 보면서 그 답을 찾아보자.

✏️ 낱말을 읽고,   부분에 밑줄을 그으면서 낱말 공부를 해 보세요.

그램

🔵 무게를 나타내는 단위. 1그램은 1g이라고 씀.

🔵 10원짜리 동전의 무게는 약 1그램이다.

킬로그램

이것만은 꼭!

🔵 무게를 나타내는 단위. 1킬로그램은 1000그램이며, 1kg이라고 씀.

🔵 설탕 한 봉지의 무게는 1킬로그램이다.

$$1kg = 1000g$$

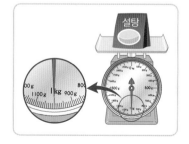

정답과 해설 ▶ 41쪽

톤

🟢 무게를 나타내는 단위. 1톤은 1000킬로그램이며, 1t이라고 씀.

🟡 소방차의 무게는 약 20톤이다.

> 1t = 1000kg

저울

🟢 물건의 무게를 다는 데 쓰는 기구.

🟡 저울을 사용하여 과일의 무게를 비교해 보자.

▲ 여러 가지 저울

포대

包 쌀 포 + 袋 자루 대

🟢 종이나 가죽, 천 등으로 만든 큰 자루.

🟡 쌀이 5포대씩 10줄 있으므로, 모두 50포대가 있다.

쌀 포대를 들고 있는 모습 ▶

단

🟢 채소, 짚, 땔감 등의 묶음을 세는 단위.

🟡 시금치 한 단의 무게는 450그램이다.

글자는 같지만 뜻이 다른 낱말 **단**

'단'은 옷의 끝 가장자리를 안으로 접어 붙이거나 박은 부분이라는 전혀 다른 뜻으로도 쓰여.

🟡 바지 단을 줄이다.

확인 문제

✏️ 88~89쪽에서 공부한 낱말을 떠올리며 문제를 풀어 보세요.

1 뜻에 알맞은 낱말을 빈칸에 쓰세요.

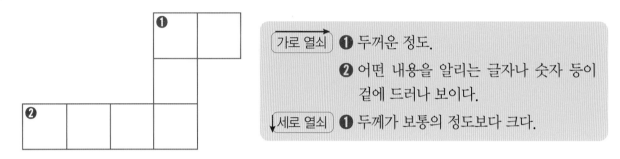

가로 열쇠 ❶ 두꺼운 정도.

❷ 어떤 내용을 알리는 글자나 숫자 등이 겉에 드러나 보이다.

세로 열쇠 ❶ 두께가 보통의 정도보다 크다.

2 ( ) 안에서 알맞은 낱말을 골라 ○표 하세요.

리터와 밀리리터는 (길이 , 들이)를 나타내는 단위이다. 한 변이 10센티미터인 상자에 담을 수 있는 양은 1(리터 , 밀리리터)이고, 한 변이 1센티미터인 상자에 담을 수 있는 양은 1(리터, 밀리리터)이다.

3 밑줄 친 낱말의 반대말은 무엇인가요? ( )

두께가 <u>두꺼운</u> 병은 물이 적게 들어간다.

① 얇은   ② 작은   ③ 짧은   ④ 가벼운   ⑤ 무거운

4 밑줄 친 낱말의 쓰임이 알맞으면 ○표, 알맞지 <u>않으면</u> ✕표 하세요.

(1) 이 양동이의 들이는 약 4리터이다. ( )

(2) 마트에서 200리터짜리 우유 좀 사 올래? ( )

(3) 주스병에 주스가 1리터 들어 있다고 표시되어 있다. ( )

(4) 세탁 세제의 <u>무게</u>는 4100밀리리터이고, 꿀의 <u>무게</u>는 2400밀리리터이다. ( )

정답과 해설 ▶ 42쪽

🖊 90～91쪽에서 공부한 낱말을 떠올리며 문제를 풀어 보세요.

5 뜻에 알맞은 낱말을 보기 에서 찾아 사다리를 타고 내려간 곳에 쓰세요.

보기

단   저울   포대

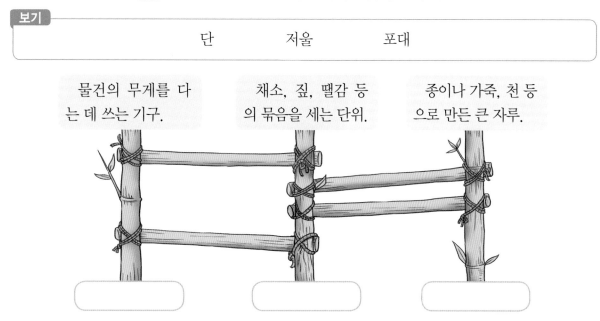

물건의 무게를 다
는 데 쓰는 기구.

채소, 짚, 땔감 등
의 묶음을 세는 단위.

종이나 가죽, 천 등
으로 만든 큰 자루.

6 ( ) 안에서 알맞은 낱말을 골라 ○표 하세요.

지원: 킬로그램과 톤은 모두 (들이 , 무게)를 나타내는 단위야.
수아: 1킬로그램은 1000(톤 , 그램)이고, 1톤은 1000(그램 , 킬로그램)이야.

7 빈칸에 들어갈 알맞은 낱말을 찾아 선으로 이으세요.

(1) 강아지의 무게는 약 2[   ]이다.   •   • 저울

(2) 귤 한 개의 무게는 약 100[   ]이다.   •   • 포대

(3) 쌀 한 [   ]의 무게는 20킬로그램
이다.   •   • 그램

(4) [   ]에 감자 두 개를 올려 무게를 재
었다.   •   • 킬로그램

다음 중 낱말의 뜻을 잘 알고 있는 것에 ✓ 하세요.

☐ 지형 ☐ 상류 ☐ 경사 ☐ 절벽 ☐ 가파르다 ☐ 시설물

강 상류와 강 하류, 바닷가 주변의 땅은 어떻게 생겼을까? 오늘은 강과 바닷가 주변의 지형과 관련된 낱말들을 배우면서 궁금증을 해결해 보자.

✏️ 낱말을 읽고, ▢ 부분에 밑줄을 그으면서 낱말 공부를 해 보세요.

이것만은 꼭!

지형
地 땅 **지** + 形 모양 **형**

뜻 땅의 생김새.

예 바닷가에서 볼 수 있는 지형에는 갯벌, 모래 해변 등이 있다.

바닷가에서 볼 수 있는 지형이야. 바위 가운데에 구멍이 있네.

상류
上 위 **상** + 流 흐를 **류**

뜻 강이나 냇물의 윗부분.

예 강 상류에 해당하는 곳은 높은 위치에 있다.

관련 어휘 중류, 하류
'중류'는 강이나 냇물의 중간 부분, '하류'는 강이나 냇물의 아랫부분을 말해.

3주차

4회

경사
傾 기울 **경** + 斜 비낄 **사**

뜻 비스듬히 기울어짐. 또는 그런 정도.

예 강 상류는 경사가 급하다.

'급하다'는 "경사나 기울기가 심하게 기울어져 있다."라는 뜻이야.

절벽
絕 끊을 **절** + 壁 벽 **벽**

뜻 바위가 아주 높이 솟아 있는 낭떠러지.

예 바닷물이 바위와 만나는 부분을 계속 깎고 무너뜨리면 절벽이 만들어진다.

'낭떠러지'는 깎아지른 듯한 언덕을 말해요.

▲ 절벽

가파르다

뜻 산이나 길이 몹시 기울어져 있다.

예 바위가 가파른 절벽으로 깎여 있다.

시설물
施 베풀 **시** + 設 베풀 **설** + 物 물건 **물**

뜻 어떤 목적을 위하여 만들어 놓은 건물이나 기계 등의 물건.

예 흙을 보존하기 위한 시설물을 만들어 보자.

시설물의 '물'은 물건 또는 물질의 뜻을 더해 주는 말이야. 시설물처럼 '물'이 붙은 낱말에는 건축물, 농산물 등이 있어.

과학 교과서 어휘

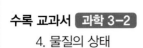
다음 중 낱말의 뜻을 잘 알고 있는 것에 ☑ 하세요.

☐ 차지하다 ☐ 부피 ☐ 상태 ☐ 고체 ☐ 액체 ☐ 기체

선물 상자는 고체, 음료수는 액체, 풍선 속 공기는 기체에 해당돼. 그런데 고체, 액체, 기체가 뭘까? 물질의 상태와 그 특성을 배울 때 많이 나오는 낱말들을 알아보자.

✏️ 낱말을 읽고, ░░░ 부분에 밑줄을 그으면서 낱말 공부를 해 보세요.

차지하다

뜻 일정한 공간 등을 이루다.

예 나무 막대를 그릇에 넣으면 일정한 공간을 차지한다.

부피

뜻 물질이 차지하는 공간의 크기.

예 병의 크기에 따라 담을 수 있는 주스의 부피가 다르다.

부피가 크다.　　　부피가 작다.

상태

狀 형상 **상** + 態 모습 **태**

뜻 물건이나 현상이 놓여 있는 모양이나 형편.

예 나무 막대, 물, 공기의 상태가 다른 것처럼 우리 주변에 있는 물질의 상태는 서로 다르다.

고체

固 굳을 **고** + 體 물질 **체**
'체(體)'의 대표 뜻은 '몸'이야.

이것만은 꼭!

뜻 담는 그릇이 바뀌어도 모양과 부피가 일정한 물질의 상태.

예 고체는 눈으로 볼 수 있고 손으로 잡을 수 있다.

▲ 고체인 여러 가지 물체

액체

液 진 **액** + 體 물질 **체**

뜻 담는 그릇에 따라 모양은 변하지만 부피는 변하지 않는 물질의 상태.

예 물이나 주스와 같은 액체는 고체와 달리 어떤 모양의 그릇에나 들어갈 수 있다.

기체

氣 기체 **기** + 體 물질 **체**
'기(氣)'의 대표 뜻은 '기운'이야.

뜻 담는 그릇에 따라 모양과 부피가 변하고, 담긴 그릇을 항상 가득 채우는 물질의 상태.

예 공기처럼 대부분의 기체는 눈에 보이지 않지만, 무게가 있다.

글자는 같지만 뜻이 다른 낱말 기체

'기체'는 비행기의 몸이 되는 부분이라는 전혀 다른 뜻도 있어.
예 비행기를 타다 보면 기체가 심하게 흔들릴 때가 있다.

3주차

4회

확인 문제

✎ 94~95쪽에서 공부한 낱말을 떠올리며 문제를 풀어 보세요.

1 보기에 있는 글자 카드로 뜻에 알맞은 낱말을 만들어 쓰세요.

보기

| 경 | 벽 | 물 | 절 | 사 | 설 | 시 |

(1) 비스듬히 기울어짐. 또는 그런 정도. → ☐☐

(2) 바위가 아주 높이 솟아 있는 낭떠러지. → ☐☐

(3) 어떤 목적을 위하여 만들어 놓은 건물이나 기계 등의 물건. → ☐☐☐

2 낱말의 뜻에 맞게 (   ) 안에서 알맞은 말을 골라 ○표 하세요.

(1) **지형**　(땅 , 바다)의 생김새.

(2) **상류**　강이나 냇물의 (윗부분 , 아랫부분).

3 밑줄 친 낱말이 알맞게 쓰였는지 ○, ×를 따라가며 선을 긋고 몇 번으로 나오는지 쓰세요.

시작 　이 언덕은 <u>지형</u>이 심해서 오르기가 힘들다. → ○ → 바닷가에서 <u>가파른</u> 절벽을 보았다. → ○ ❶

× ↓　　　× ↓

흙을 고정해 주는 <u>시설물</u>을 설치했더니 흙이 떠내려가지 않았다. → ○ → 위험하니까 <u>절벽</u> 근처에는 가지 않는 것이 좋다. → ○ ❷

× ↓　　　× ↓

❸　　　❹

(　　　　)

✏️ 96~97쪽에서 공부한 낱말을 떠올리며 문제를 풀어 보세요.

4 낱말의 뜻을 찾아 선으로 이으세요.

(1) 상태 •

(2) 부피 •

(3) 기체 •

(4) 액체 •

• 물질이 차지하는 공간의 크기.

• 물건이나 현상이 놓여 있는 모양이나 형편.

• 담는 그릇에 따라 모양은 변하지만 부피는 변하지 않는 물질의 상태.

• 담는 그릇에 따라 모양과 부피가 변하고, 담긴 그릇을 항상 가득 채우는 물질의 상태.

5 밑줄 친 낱말의 뜻에 맞게 (   ) 안에서 알맞은 말을 골라 ◯표 하세요.

(1)
고무풍선도 <u>고체</u>이다.

→ 담는 그릇이 바뀌어도 모양과 부피가 (변하는 , 일정한) 물질의 상태.

(2)
빈 병 속의 공기는 눈에 보이지 않지만 병 속 공간을 <u>차지한다</u>.

→ 일정한 공간 등을 (이루다 , 바꾸다).

6 빈칸에 들어갈 알맞은 낱말을 글자 카드를 이용하여 만들어 쓰세요.

(1)
철, 고무와 같은 □□는 모양이 변하지 않는다.

기   고   액   체

(2)
우유와 같은 □□는 눈으로 볼 수 있지만 손으로 잡을 수 없다.

상   체   액   가

(3)
이불 속에 있는 솜이나 털 사이의 공기를 빼내면 이불의 □□를 줄일 수 있다.

수   리   피   부

한자 어휘

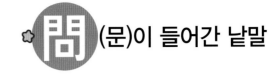 問(문)이 들어간 낱말

✏️ '問(문)'이 들어간 낱말을 읽고, ▨ 부분에 밑줄을 그으면서 낱말 공부를 해 보세요.

問

물을 문

'문(問)'은 문과 입을 표현한 글자를 합쳐 만들었어. 문 앞에서 입으로 소리 내어 묻는다는 데서 '문(問)'이 '묻다'라는 뜻을 갖게 되었어. 낱말에서 '문(問)'은 '방문하다'의 뜻도 있어.

동問서답
질問
問병
위問

묻다
問

동문서답

東 동녘 동 + 問 물을 문 + 西 서녘 서 + 答 대답할 답

뜻 동쪽을 묻는데 서쪽을 대답한다는 뜻으로, 묻는 말과 전혀 상관없는 대답을 말함.

예 내 짝은 선생님의 물음에 동문서답을 했다.

질문

質 바탕 질 + 問 물을 문

뜻 모르는 것이나 알고 싶은 것을 물음.

예 엄마는 어떤 질문에도 척척 대답해 주신다.

반대말 답변
'답변'은 물음에 대답하는 것을 말해.
예 동생은 답변이 어려운 질문을 많이 한다.

방문하다
問

문병

問 방문할 문 + 病 병 병

뜻 아픈 사람을 찾아가 위로함.

예 다리를 다쳐 입원한 친구에게 문병을 갔다.

비슷한말 병문안
'병문안'도 아픈 사람을 찾아가 위로하는 일을 뜻해.
예 친구들이 병문안을 왔다.

위문

慰 위로할 위 + 問 방문할 문

뜻 찾아가서 달래 줌.

예 가수들이 병원에서 위문 공연을 하였다.

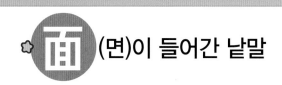 (면)이 들어간 낱말

✏️ '面(면)'이 들어간 낱말을 읽고, ▢▢▢ 부분에 밑줄을 그으면서 낱말 공부를 해 보세요.

面

낯 면

'면(面)'은 사람의 머리둘레와 눈의 모양을 본떠 만든 글자로, 사람의 얼굴을 표현한 것이지. 그래서 '면(面)'은 '낯(얼굴)'이라는 뜻을 나타내. 낱말에서 '면(面)'은 '방향', '표면'의 뜻으로도 쓰여.

세面
面도
사面초가
수面

3주차

5회

낯(얼굴) 面

세면

洗 씻을 세 + 面 낯 면

뜻 물로 얼굴을 씻음.

예 이모는 일어나자마자 세면을 하러 갔다.

비슷한말 세수

'세수'도 얼굴을 물로 씻는 것을 뜻하는 낱말이야.
예 찬물로 세수를 하였다.

면도

面 낯 면 + 刀 칼 도

뜻 얼굴이나 몸에 난 수염이나 털을 깎음.

예 며칠 동안 면도를 못했더니 수염이 많이 자랐네.

방향 · 표면 面

사면초가

四 넉 사 + 面 방향 면 + 楚 초나라 초 + 歌 노래 가

뜻 사방에서 들리는 초나라의 노래라는 뜻으로, 아무에게도 도움을 받지 못하는 어려운 상황을 말함.

예 적군에게 둘러싸여 사면초가에 빠졌다.

수면

水 물 수 + 面 표면 면

뜻 물의 겉면.

예 달이 수면에 비쳤다.

글자는 같지만 뜻이 다른 낱말 수면

'수면'은 잠을 자는 일이란 전혀 다른 뜻도 있어.
예 규칙적인 수면 습관을 갖자.

✎ 100쪽에서 공부한 낱말을 떠올리며 문제를 풀어 보세요.

1 보기에 있는 글자 카드로 뜻에 알맞은 낱말을 만들어 쓰세요. (같은 글자 카드를 여러 번 쓸 수 있어요.)

보기

답 동 문 서 위 질

(1) 찾아가서 달래 줌. →

(2) 모르는 것이나 알고 싶은 것을 물음. →

(3) 묻는 말과 전혀 상관없는 대답. →

2 밑줄 친 '문'의 뜻으로 알맞은 것을 골라 ○표 하세요.

(1) 질문 | 묻다 방문하다

(2) 문병 | 묻다 방문하다

3 밑줄 친 낱말의 반대말은 무엇인가요? (   )

궁금한 점이 있으신 분은 질문하여 주세요.

① 답변   ② 물음   ③ 보답   ④ 오답   ⑤ 동문서답

4 (   ) 안에 들어갈 알맞은 낱말을 보기에서 찾아 쓰세요.

보기

질문   문병   답변

(1) 어제 아픈 동생을 (   )하러 병원에 다녀왔다.

(2) 누나는 내가 (   )할 때마다 친절하게 대답해 준다.

(3) 선생님의 질문에 (   )을 하지 못해서 무척 창피하였다.

✏ 101쪽에서 공부한 낱말을 떠올리며 문제를 풀어 보세요.

5 낱말의 뜻을 보기에서 찾아 사다리를 타고 내려간 곳에 기호를 쓰세요.

> **보기**
> ㉠ 물의 겉면.
> ㉡ 물로 얼굴을 씻음.
> ㉢ 아무에게도 도움을 받지 못하는 어려운 상황.

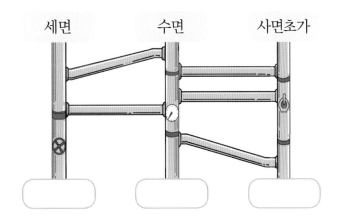

세면   수면   사면초가

6 안의 낱말과 뜻이 비슷한 낱말을 골라 ○표 하세요.

세면	세수	면도	세차	세탁

7 밑줄 친 '면'이 '얼굴'의 뜻으로 쓰인 것에 ○표 하세요.

(1) 아빠는 아침마다 면도를 한다. (   )

(2) 피구를 했는데 상대편이 다 나를 둘러싸고 있어 사면초가에 빠졌다. (   )

8 빈칸에 들어갈 낱말을 완성하세요.

(1) 보트가 | ㅅ | ㅁ | 위를 빠르게 달린다.

(2) | ㅁ | ㄷ | 를 안 했더니 턱수염이 자라 있었다.

(3) | ㅅ | ㅁ | 을 깨끗이 하고, 수건으로 얼굴의 물기를 닦았다.

3주차 1~5회에서 공부한 낱말을 떠올리며 문제를 풀어 보세요.

낱말 뜻

1 낱말과 그 뜻이 바르게 짝 지어지지 <u>않은</u> 것은 무엇인가요? (   )

① 지형 – 땅의 생김새.
② 들이 – 통이나 그릇 안쪽 공간의 크기.
③ 차지하다 – 산이나 길이 몹시 기울어져 있다.
④ 확대 가족 – 부모와 결혼한 자녀가 함께 사는 가족.
⑤ 헤아리다 – 어떤 일을 짐작하거나 미루어 생각하다.

낱말 뜻

2~4 다음 낱말의 뜻으로 알맞은 것에 ○표 하세요.

2 고려하다
(1) 생각하고 헤아려 보다. (   )
(2) 어떤 일에 모든 힘을 쏟다. (   )

3 동문서답
(1) 묻는 말과 전혀 상관없는 대답. (   )
(2) 아무에게도 도움을 받지 못하는 어려운 상황. (   )

4 감정
(1) 거짓이 없는 진실한 마음. (   )
(2) 일이나 물건 등에 대한 느낌이나 기분. (   )

비슷한말

5 뜻이 비슷한 낱말끼리 짝 지어진 것은 무엇인가요? (   )

① 상류 – 중류   ② 동지 – 하지   ③ 두껍다 – 얇다
④ 평소 – 평상시   ⑤ 당황하다 – 태연하다

글자는 같지만 뜻이 다른 낱말

6 밑줄 친 낱말의 뜻을 찾아 선으로 이으세요.

채소, 짚, 땔감 등의 묶음을 세는 단위.

열무 두 단만 주세요. •

옷의 끝 가장자리를 안으로 접어 붙이거나 박은 부분.

여러 가지 뜻을 가진 낱말

7 빈칸에 공통으로 들어갈 알맞은 낱말은 무엇인가요? (   )

• 사고의 원인을 [   ].
• 손전등으로 어두운 곳을 [   ].

① 묻다   ② 막히다   ③ 밝히다
④ 비추다   ⑤ 닫히다

낱말 활용

8~10 (   ) 안에 들어갈 알맞은 낱말을 보기 에서 찾아 쓰세요.

보기

경사   진심   집중

8 학급 임원 선거에서 반장으로 뽑힌 것을 (   )(으)로 축하해.

9 만화책을 (   )해서 보느라고 엄마가 부르는 소리를 못 들었다.

10 우리 집 뒤에 있는 산은 (   )이/가 급하지 않아서 어린이도 쉽게 오를 수 있다.

4주차 어휘 미리 보기

한 주 동안 공부할 어휘들이야. 쏙 한번 훑어볼까?

1회 학습 계획일 ◯월 ◯일

국어 교과서 어휘

독서 감상문	성격
책갈피	연극
전시하다	극본
시간 흐름	퇴장하다
장소 변화	관람하다
주의하다	진지하다

2회 학습 계획일 ◯월 ◯일

사회 교과서 어휘

가족 구성원	다양하다
기회	살아가다
평등	입양하다
의식	어우러지다
갈등	보금자리
협력하다	이산가족

3회 학습 계획일 ◯월 ◯일

수학 교과서 어휘

정리	그림그래프
조사하다	완성하다
한눈	복잡하다
알아보다	일일이
고르다	세다
수집하다	횟수

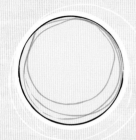

4회 학습 계획일 ◯월 ◯일

과학 교과서 어휘	
소리의 세기	소리의 높낮이
스피커	소리의 반사
소리굽쇠	관
떨리다	전달되다
날갯짓	소음
조절	방음벽

어휘력 테스트

2학기 어휘 학습 끝! 이젠 학교 공부 자신 있어!

5회 학습 계획일 ◯월 ◯일

한자 어휘	
통과	팔방미인
경과	미술
과유불급	미식가
과소비	미군

국어 교과서 어휘

수록 교과서 국어 3-2 ④

7. 글을 읽고 소개해요 ～
8. 글의 흐름을 생각해요

다음 중 낱말의 뜻을 잘 알고 있는 것에 ✓ 하세요.

☐ 독서 감상문 ☐ 책갈피 ☐ 전시하다 ☐ 시간 흐름 ☐ 장소 변화 ☐ 주의하다

✏️ 낱말을 읽고, 부분에 밑줄을 그으면서 낱말 공부를 해 보세요.

독서 감상문

讀 읽을 **독** + 書 글 **서** +
感 느낄 **감** + 想 생각 **상** +
文 글월 **문**

이것만은 꼭!

뜻 책을 읽은 뒤에 책을 읽게 된 까닭, 책 내용, 인상 깊은 부분, 생각이나 느낌 등을 쓴 글.

예 독서 감상문을 쓸 때에는 책의 모든 내용을 다 쓰지 않고 중요한 내용이나 사건을 중심으로 쓴다.

○○○ 이 책을 읽고 책 내용과 생각이나 느낌 등을 정리해서 독서 감상문을 써야지.

책갈피

册 책 **책** + 갈피

뜻 읽던 곳이나 필요한 곳을 찾기 쉽도록 책의 낱장 사이에 끼워 두는 물건.

예 책을 읽고 기억에 남는 문장을 책갈피 앞쪽에 쓰고 그 까닭을 책갈피 뒤쪽에 쓴다.

관련 어휘 **갈피**

'갈피'는 겹치거나 여러 겹으로 놓인 물건의 사이를 말해.

전시하다

展 펼 **전** + 示 보일 **시** +
하다

뜻 물건, 작품 같은 것을 한곳에 차려 놓고, 사람들에게 보여 주다.

예 독서 감상문으로 교실을 꾸미는 방법 중에서 독서 감상문을 복도에 전시하기를 골랐다.

4주차

1회

시간 흐름

時 때 **시** + 間 사이 **간** + 흐름

뜻 일이 일어난 때가 달라진 것.

예 '열 시', '숙제를 마치자마자', '저녁에'는 시간 흐름을 알 수 있는 표현이다.

| 열 시 | ➡ | 숙제를 마치자마자 | ➡ | 저녁에 |

▲ 시간 흐름을 알 수 있는 표현

장소 변화

場 마당 **장** + 所 곳 **소** +
變 변할 **변** + 化 될 **화** +
👆 '소(所)'의 대표 뜻은 '바'야.

뜻 일이 일어난 곳이 달라진 것.

예 '학교', '직업 체험관', '집'은 장소 변화를 알 수 있는 표현이다.

| 학교 | ➡ | 직업 체험관 | ➡ | 집 |

▲ 장소 변화를 알 수 있는 표현

주의하다

注 둘 **주** + 意 뜻 **의** +
하다
👆 '주(注)'의 대표 뜻은 '붓다'야.

뜻 마음속에 깊이 기억하고 조심하다.

예 감기약은 주스와 같은 음료수와 먹지 않도록 주의해야 한다.

비슷한말 조심하다

'조심하다'는 "잘못이나 실수가 없도록 말이나 행동에 신경을 쓰다."라는 뜻이야.

예 실수를 하지 않도록 조심하자.

꼭! 알아야 할 속담

빈칸 채우기 ' ☐ 으로 메주를 쑨다 하여도 곧이듣지 않는다'는 아무리 사실대로 말하여도 믿지 않음을 이르는 말입니다.

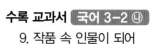
다음 중 낱말의 뜻을 잘 알고 있는 것에 ✓ 하세요.

☐ 성격 ☐ 연극 ☐ 극본 ☐ 퇴장하다 ☐ 관람하다 ☐ 진지하다

✎ 낱말을 읽고, ▭ 부분에 밑줄을 그으면서 낱말 공부를 해 보세요.

성격

性 성품 성 + 格 인품 격
'격(格)'의 대표 뜻은 '격식'이야.

뜻 한 사람이 가지고 있는 성질.

예 호랑이의 부탁을 무시하지 못한 나그네는 남을 걱정하고 잘 돕는 성격이다.

비슷한말 성품
'성품'은 사람의 성질이나 됨됨이를 뜻하는 낱말이야.
예 선생님께서는 성품이 너그러우시다.

연극

演 펼 연 + 劇 연극 극
'극(劇)'의 대표 뜻은 '심하다'야.

뜻 배우가 무대 위에서 지어진 이야기에 따라 어떤 사건이나 인물에 대해 말과 동작으로 관객에게 보여 주는 것.

예 연극에서 자신이 맡은 역할의 인물에게 어울리는 표정, 몸짓, 말투를 상상해 보자.

'사건'은 이야기 속에서 일어나는 일을, '인물'은 이야기 속에 나오는 사람을 말해.

극본

劇 연극 극 + 本 책 본
'본(本)'의 대표 뜻은 '근본'이야.

이것만은 꼭!

뜻 영화나 연극, 드라마를 만들기 위해 쓴 글.

예 이 글은 연극을 하기 위해 쓴 극본으로 표정, 몸짓, 말투를 직접 알려 주는 부분이 있다.

'극본'을 '각본'이라고 하기도 해.

퇴장하다

退 물러날 **퇴** + 場 무대 **장** + 하다
🖱 '장(場)'의 대표 뜻은 '마당'이야.

🔵 뜻 연극 무대에서 등장인물이 무대 밖으로 나가다.

🟢 예 무대에서 인물이 퇴장할 곳을 정해 보자.

반대말 등장하다

'등장하다'는 "무대 등에 나오다."라는 뜻이야.

🟢 예 가수가 무대 위로 등장하였다.

관람하다

觀 볼 **관** + 覽 볼 **람** + 하다

🔵 뜻 연극, 영화, 운동 경기 등을 구경하다.

🟢 예 연극을 관람할 때에는 조용히 해야 한다.

비슷한말 보다

'보다'는 "눈으로 대상을 즐기거나 감상하다."라는 뜻이야.

🟢 예 우리 가족은 한 달에 한 번씩 연극을 보러 간다.

진지하다

眞 참 **진** + 摯 지극할 **지** + 하다
🖱 '지(摯)'의 대표 뜻은 '잡다'야.

🔵 뜻 태도나 행동 등이 장난기가 없고 바르다.

🟢 예 연극을 관람하는 친구는 진지한 자세로 봐야 한다.

꼭! 알아야 할 관용어

○표 하기 '(가슴이 시원하다 , 가슴이 콩알만 하다)'는 "불안하고 초조하여 움츠러들다."라는 뜻입니다.

확인 문제

✎ 108~109쪽에서 공부한 낱말을 떠올리며 문제를 풀어 보세요.

1 뜻에 알맞은 말을 보기 에서 찾아 쓰세요.

보기

책갈피　　　　장소 변화　　　　시간 흐름

(1) (　　　　　　): 일이 일어난 곳이 달라진 것.

(2) (　　　　　　): 일이 일어난 때가 달라진 것.

(3) (　　　　　　): 읽던 곳이나 필요한 곳을 찾기 쉽도록 책의 낱장 사이에 끼워 두는 물건.

2 낱말의 뜻에 맞게 (　　) 안에서 알맞은 말을 골라 ○표 하세요.

전시하다　　물건, 작품 같은 것을 한곳에 차려 놓고, 사람들에게 (돌려주다 , 보여 주다).

3 밑줄 친 낱말과 뜻이 비슷한 낱말에 ○표 하세요.

주의할 점은 실을 뚫는 동안 실이 풀어지지 않도록 실 세 가닥을 단단히 잡아야 한다는 것이다.

(주장할 , 조심할 , 안심할)

4 빈칸에 들어갈 알맞은 낱말을 글자 카드를 이용하여 만들어 쓰세요.

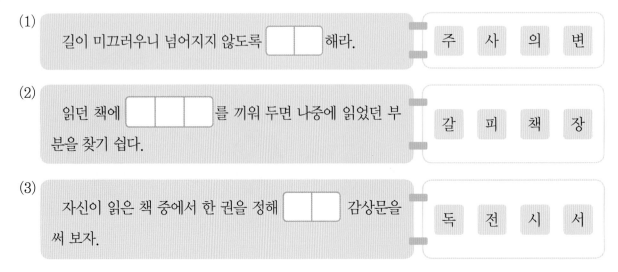

(1) 길이 미끄러우니 넘어지지 않도록 ☐☐해라.　　주　사　의　변

(2) 읽던 책에 ☐☐☐를 끼워 두면 나중에 읽었던 부분을 찾기 쉽다.　　갈　피　책　장

(3) 자신이 읽은 책 중에서 한 권을 정해 ☐☐ 감상문을 써 보자.　　독　전　시　서

✎ 110∼111쪽에서 공부한 낱말을 떠올리며 문제를 풀어 보세요.

5 뜻에 알맞은 낱말을 빈칸에 쓰세요.

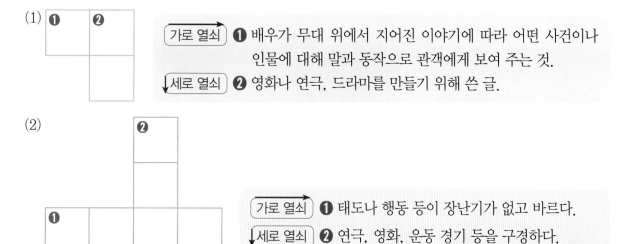

(1)

가로 열쇠 ❶ 배우가 무대 위에서 지어진 이야기에 따라 어떤 사건이나 인물에 대해 말과 동작으로 관객에게 보여 주는 것.

세로 열쇠 ❷ 영화나 연극, 드라마를 만들기 위해 쓴 글.

(2)

가로 열쇠 ❶ 태도나 행동 등이 장난기가 없고 바르다.

세로 열쇠 ❷ 연극, 영화, 운동 경기 등을 구경하다.

6 빈칸에 공통으로 들어갈 알맞은 낱말을 쓰세요.

(1)
- 한 사람이 가지고 있는 성질을 '[   ]'이라고 한다.
- '[   ]'과 뜻이 비슷한 낱말에는 '성품'이 있다.

(　　　　　　)

(2)
- '등장하다'는 "[   ] 등에 나오다."라는 뜻이다.
- '퇴장하다'는 "연극 [   ]에서 등장인물이 [   ] 밖으로 나가다."라는 뜻이다.

(　　　　　　)

7 밑줄 친 낱말을 바르게 사용한 친구의 이름을 쓰세요.

윤호: 호랑이는 약속을 지키지 않고도 당당한 것으로 보아 뻔뻔한 <u>성격</u>이야.
사랑: 연극을 <u>퇴장할</u> 때에는 진지하게 봐야 연극을 하는 친구들이 힘이 날 거야.
이현: 실감 나게 연극을 읽으려면 인물에게 어울리는 표정과 몸짓, 말투로 <u>읽어</u>야 해.

(　　　　　　)

사회 교과서 어휘

다음 중 낱말의 뜻을 잘 알고 있는 것에 ☑ 하세요.

☐ 가족 구성원   ☐ 기회   ☐ 평등   ☐ 의식   ☐ 갈등   ☐ 협력하다

사회가 변화하면서 가족 구성원의 역할도 변화했어. 그 까닭과 바람직한 가족 구성원의 역할에 대해 생각하며 관련된 낱말들을 배워 보자.

✏️ 낱말을 읽고, ▨▨▨ 부분에 밑줄을 그으면서 낱말 공부를 해 보세요.

가족 구성원

家 집 **가** + 族 일가 **족** + 構 얽을 **구** + 成 이룰 **성** + 員 인원 **원**

🖱 '족(族)'의 대표 뜻은 '겨레'야.

이것만은 꼭!

뜻 가족을 이루고 있는 사람.

예 진주네 가족 구성원은 아버지, 어머니, 진주이다.

관련 어휘 **구성원**

'구성원'은 어떤 조직이나 단체를 이루고 있는 사람을 말해.

기회

機 기회 **기** + 會 기회 **회**

🖱 '기(機)'의 대표 뜻은 '틀', '회(會)'의 대표 뜻은 '모이다'야.

뜻 어떤 일을 하기에 알맞은 때.

예 오늘날에는 남자와 여자가 교육 받을 기회가 같아졌다.

우리 편이 이길 기회야!

4주차

2회

평등

平 평평할 **평** + 等 같을 **등**
🐭 '등(等)'의 대표 뜻은 '무리'야.

뜻 의무, 자격 등이 차별 없이 똑같음.

예 남자와 여자는 평등하다.

반대말 불평등

'불평등'은 차별이 있어 평등하지 않은 것을 뜻해.
예 옛날에는 신분이 낮아 불평등을 겪는 사람들이 있었다.

의식

意 생각 **의** + 識 알 **식**
🐭 '의(意)'의 대표 뜻은 '뜻'이야.

뜻 물건이나 일에 대한 의견이나 생각.

예 요즘에는 남녀가 평등하다는 의식이 높아져 집안일에도 남녀의 구분이 없어졌다.

글자는 같지만 뜻이 다른 낱말 의식

'의식'은 정해진 방법이나 차례에 따라 치르는 행사라는 전혀 다른 뜻도 있어.
예 현충일 기념 의식이 시작되었다.

갈등

葛 칡 **갈** + 藤 등나무 **등**

뜻 서로 생각이나 마음이 맞지 않아 부딪치는 것.

예 가족 구성원 사이에 서로 생각이 달라 갈등이 일어나기도 한다.

비슷한말 마찰

'마찰'도 서로 생각이나 의견이 달라 부딪치는 것을 뜻해.
예 가까운 친구 사이라도 마찰이 생길 수 있다.

협력하다

協 화합할 **협** + 力 힘 **력** + 하다

뜻 힘을 합해 서로 돕다.

예 가족 구성원 간에 생기는 갈등을 해결하려면 서로 협력하는 자세가 필요하다.

비슷한말 협동하다

'협동하다'는 "서로 마음과 힘을 하나로 합하다."라는 뜻이야.
예 친구들과 협동하여 교실을 예쁘게 꾸몄다.

사회 교과서 어휘

다음 중 낱말의 뜻을 잘 알고 있는 것에 ✓ 하세요.

☐ 다양하다 ☐ 살아가다 ☐ 입양하다 ☐ 어우러지다 ☐ 보금자리 ☐ 이산가족

우리 사회는 다양한 형태의 가족들이 모여서 구성되었어. 형태나 모습은 다르지만 모두 가족이야. 다양한 가족이 살아가는 모습을 생각하며 관련된 낱말들을 공부해 보자.

✏️ 낱말을 읽고, ___ 부분에 밑줄을 그으면서 낱말 공부를 해 보세요.

이것만은 꼭!

다양하다
多 많을 **다** + 樣 모양 **양** + 하다

뜻 색깔, 모양, 종류, 내용 등이 여러 가지로 많다.

예 가족의 형태는 매우 다양하다.

다양한 직업을 가진 사람들 ▶

살아가다

뜻 생활을 해 나가다.

예 가족마다 형태나 구성원이 다르기 때문에 살아가는 모습도 다양하다.

비슷한말 **생활하다**

'생활하다'는 "사람이나 동물이 일정한 환경에서 살아가다."라는 뜻이야.
예 고래는 바다에서 생활한다.

4주차

2회

입양하다

入 들 입 + 養 기를 양 + 하다

뜻 자신이 낳지 않은 사람을 자식으로 삼다.

예 한 살 아기를 입양한 고모는 이제 세 아이의 엄마가 되었다.

'삼다'는 누군가를 자기와 관계있는 사람으로 만든다는 말이야.

어우러지다

뜻 여럿이 사귀어 잘 어울리거나 어떤 분위기를 같이 만들다.

예 다양한 형태의 가족이 어우러질 때 아름다운 사회를 이룰 수 있다.

비슷한말 어울리다

'어울리다'는 "함께 사귀어 잘 지내거나 어떤 무리에 끼어 같이 활동하게 되다." 라는 뜻이야.
예 나는 사람들과 잘 어울리는 편이다.

보금자리

뜻 지내기에 매우 편안하고 따뜻한 곳.

예 우리 가족이 살 새로운 보금자리를 마련하였다.

여러 가지 뜻을 가진 낱말 보금자리

'보금자리'는 새가 알을 낳거나 살기 위해 풀, 나뭇가지 등을 엮어 만든 둥근 모양의 집이라는 뜻도 있어.
예 지붕에 새들이 보금자리를 만들었다.

이산가족

離 떠날 이 + 散 흩을 산 + 家 집 가 + 族 일가 족

👆 '족(族)'의 대표 뜻은 '겨레'야.

뜻 전쟁 등 여러 가지 사정으로 이리저리 흩어져서 서로 소식을 모르는 가족.

예 6·25 전쟁 이후 서로 헤어진 가족을 '이산가족'이라고 부른다.

♡ 이산가족 상봉 ♡
▲ 남북 이산가족이 만나는 모습

확인 문제

✎ 114～115쪽에서 공부한 낱말을 떠올리며 문제를 풀어 보세요.

1 낱말의 뜻을 보기 에서 찾아 사다리를 타고 내려간 곳에 기호를 쓰세요.

> **보기**
> ㉠ 가족을 이루고 있는 사람.
> ㉡ 어떤 일을 하기에 알맞은 때.
> ㉢ 의무, 자격 등이 차별 없이 똑같음.
> ㉣ 서로 생각이나 마음이 맞지 않아 부딪치는 것.

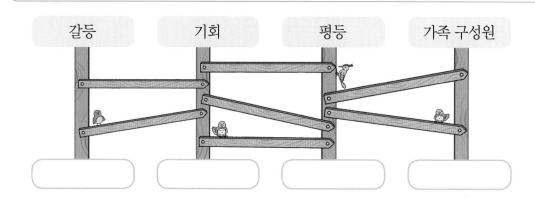

2 낱말의 뜻에 맞게 빈칸에 들어갈 말을 완성하세요.

(1) 협력하다: 힘을 합해 서로 ⬚ㄷ ⬚ㄷ.

(2) 의식: 물건이나 일에 대한 ⬚ㅇ ⬚ㄱ 이나 ⬚ㅅ ⬚ㄱ.

3 밑줄 친 낱말을 바르게 사용하지 못한 친구의 이름을 쓰세요.

요즘에는 남자와 여자 모두 사회 활동의 기회가 똑같이 주어져.

석민

가족 구성원 간에 서로 생각이 다르면 평등이 일어나기도 해.

정우

요즘에는 맞벌이 가정이 늘어나면서 집안일을 가족 구성원이 나눠서 해.

유미

(   )

✏️ 116~117쪽에서 공부한 낱말을 떠올리며 문제를 풀어 보세요.

4 보기 에 있는 글자 카드로 뜻에 알맞은 낱말을 만들어 쓰세요. (같은 글자 카드를 여러 번 쓸 수 있어요.)

보기

| 양 | 다 | 산 | 이 | 입 |

(1) 자신이 낳지 않은 사람을 자식으로 삼다. → ☐☐ 하다

(2) 색깔, 모양, 종류, 내용 등이 여러 가지로 많다. → ☐☐ 하다

(3) 전쟁 등 여러 가지 사정으로 이리저리 흩어져서 서로 소식을 모르는 가족. → ☐☐ 가족

5 친구들의 물음에 알맞은 답을 쓰세요.

(1) 지내기에 매우 편안하고 따뜻한 곳을 뜻하는 낱말은?

☐☐☐☐

(2) "생활을 해 나가다."라는 뜻을 가진 낱말은?

☐☐☐☐

6 ( ) 안에 들어갈 알맞은 낱말을 보기 에서 찾아 쓰세요.

보기

다양한   입양하여   어우러져

(1) 선생님과 학생들이 ( ) 축구를 했다.

(2) 오늘날에는 자식을 ( ) 가족을 이루고 사는 집이 많다.

(3) 우리 사회에는 ( ) 형태의 가족이 여러 가지 모습으로 함께 살아가고 있다.

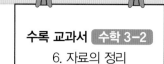

다음 중 낱말의 뜻을 잘 알고 있는 것에 ✔ 하세요.

☐ 정리 ☐ 조사하다 ☐ 한눈 ☐ 알아보다 ☐ 고르다 ☐ 수집하다

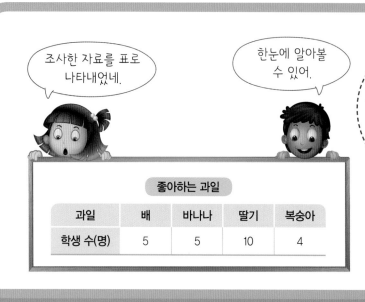

조사한 자료를 표로 나타내었네.

한눈에 알아볼 수 있어.

친구들이 좋아하는 과일에 대해 조사한 것을 표로 나타내었더니 한눈에 알아볼 수 있지? 오늘은 표와 관련된 낱말들에 대해 알아보자.

좋아하는 과일

과일	배	바나나	딸기	복숭아
학생 수(명)	5	5	10	4

✎ 낱말을 읽고, ▨ 부분에 밑줄을 그으면서 낱말 공부를 해 보세요.

 이것만은 꼭!

정리

整 가지런할 정 + 理 다스릴 리

뜻 종류에 따라 짜임새 있게 나누거나 모음.

예 운동회에서 친구들이 하고 싶어 하는 경기를 표로 정리하였다.

여러 가지 뜻을 가진 낱말 정리

'정리'는 흐트러지거나 어수선한 상태에 있는 것을 한데 모으거나 치우는 것이라는 뜻도 있어.

예 엄마께서 장난감 정리를 시키셨다.

조사하다

調 조사할 조 + 査 조사할 사 + 하다

🖱 '조(調)'의 대표 뜻은 '고르다'야.

뜻 어떤 일이나 내용을 알기 위하여 자세히 살펴보거나 찾아보다.

예 우리 반 학생들이 좋아하는 학교 행사는 무엇인지 조사했다.

한눈

뜻 눈으로 한 번에 볼 수 있는 범위.

예 조사한 내용을 표로 나타내면 한눈에 알 수 있다.

> 우리 집 거실에서는 동네의 모습이 한눈에 다 보여.

알아보다

뜻 눈으로 보고 구별하여 알다.

예 붙임딱지 붙이기 방법으로 조사한 내용을 나타내니 한눈에 알아보기 힘들었다.

고르다

뜻 여럿 중에서 어떤 것을 뽑다.

예 모둠별로 고른 조사 방법으로 자료를 모아 보자.

글자는 같지만 뜻이 다른 낱말 고르다

'고르다'는 "높낮이, 크기, 모양 등이 차이가 없이 같다."라는 전혀 다른 뜻으로도 쓰여.

예 사과의 크기가 고르다.

수집하다

蒐 모을 수 + 集 모을 집 + 하다

뜻 취미나 연구를 위하여 물건이나 자료 등을 찾아서 모으다.

예 우리 모둠은 빠른 시간에 자료를 수집하고 싶어서 직접 손 들기 방법을 선택했다.

비슷한말 모으다

'모으다'는 "특별한 물건을 구하여 갖추어 가지다."라는 뜻이야.

예 아빠의 취미는 우표를 모으는 것이다.

수학 교과서 어휘

다음 중 낱말의 뜻을 잘 알고 있는 것에 ✔ 하세요.

☐ 그림그래프 ☐ 완성하다 ☐ 복잡하다 ☐ 일일이 ☐ 세다 ☐ 횟수

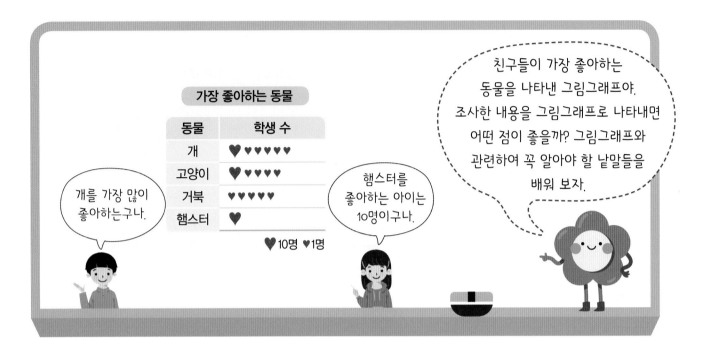

가장 좋아하는 동물

동물	학생 수
개	♥ ♥ ♥ ♥ ♥ ♥
고양이	♥ ♥ ♥ ♥
거북	♥ ♥ ♥ ♥ ♥
햄스터	♥

♥10명 ♥1명

개를 가장 많이 좋아하는구나.

햄스터를 좋아하는 아이는 10명이구나.

친구들이 가장 좋아하는 동물을 나타낸 그림그래프야. 조사한 내용을 그림그래프로 나타내면 어떤 점이 좋을까? 그림그래프와 관련하여 꼭 알아야 할 낱말들을 배워 보자.

✏️ 낱말을 읽고, ▨ 부분에 밑줄을 그으면서 낱말 공부를 해 보세요.

그림그래프

이것만은 꼭!

뜻 알려고 하는 수(조사한 수)를 그림으로 나타낸 그래프.

예 우리 반 학생들이 도서관에서 빌린 책을 나타낸 그림그래프에서 그림이 나타내는 수가 얼마인지 알아보자.

우리 반 학생들이 도서관에서 빌린 책

종류	책의 수
동화책	▢▢ ▫▫▫
위인전	▢ ▫▫
과학책	▢▢

▢10권 ▫1권

완성하다
完 완전할 **완** + 成 이룰 **성** + 하다

뜻 완전하게 다 이루다.

예 학생 수에 맞게 그림으로 나타내어 그림그래프를 바르게 완성해 보자.

반대말 **미완성하다**

'미완성하다'는 "아직 덜 하다."라는 뜻이야.

예 그림을 미완성한 채로 냈다.

복잡하다

複 겹칠 **복** + 雜 섞일 **잡** +
하다

뜻 여러 가지가 뒤섞여 있다.

예 조사한 내용을 그림그래프로 나타낼 때 복잡한 그림은 그리기 불편하다.

반대말 **간단하다**

'간단하다'는 "길거나 복잡하지 않다."라는 뜻이야.
예 이 제품을 사용하는 방법은 간단하다.

일일이

ー 하나 **일** + ー 하나 **일** + 이

뜻 하나씩 하나씩.

예 그림그래프에 조사한 내용이 빠짐없이 들어가 있는지 일일이 확인해 보자.

비슷한말 **하나하나**

'하나하나'도 "하나씩 하나씩."이라는 뜻이야.
예 색연필에 이름표를 하나하나 붙였다.

세다

뜻 수를 헤아리다.

예 표는 그림그래프와 다르게 그림을 일일이 세지 않아도 된다.

글자는 같지만 뜻이 다른 낱말 **세다**

'세다'는 "힘이 많다."라는 전혀 다른 뜻도 있어.
예 내가 형보다 힘이 세다.

횟수

回 돌아올 **회** + 數 셈 **수**

뜻 돌아오는 차례의 수.

예 친구들과 줄넘기를 한 횟수를 표로 나타내었다.

확인 문제

✏️ 120~121쪽에서 공부한 낱말을 떠올리며 문제를 풀어 보세요.

1 보기에 있는 글자 카드로 뜻에 알맞은 낱말을 만들어 쓰세요. (같은 글자 카드를 여러 번 쓸 수 있어요.)

> 보기
> 다 보 사 수 아 알 조 집 하

(1) 눈으로 보고 구별하여 알다. → ☐☐☐☐

(2) 취미나 연구를 위하여 물건이나 자료 등을 찾아서 모으다. → ☐☐☐☐

(3) 어떤 일이나 내용을 알기 위하여 자세히 살펴보거나 찾아보다.

→ ☐☐☐☐

2 낱말의 뜻을 바르게 말한 친구의 이름을 쓰세요.

> 혜원: '한눈'은 눈으로 여러 번에 볼 수 있는 범위라는 뜻이야.
> 병호: '정리'는 종류에 따라 짜임새 있게 나누거나 모으는 것을 뜻해.

(   )

3 밑줄 친 낱말이 보기의 뜻으로 쓰인 것에 ◯표 하세요.

> 보기
> 고르다: 여럿 중에서 어떤 것을 뽑다.

(1) 바구니에 들어 있는 귤의 크기가 고르다. (   )

(2) 조사 방법 중에서 직접 손 들기 방법을 골랐다. (   )

4 밑줄 친 낱말의 쓰임이 알맞으면 ◯표, 알맞지 않으면 ✕표 하세요.

(1) 방 안을 깨끗하게 수집하고 나니 방이 훨씬 넓어 보였다. (   )

(2) 표를 보고 여학생과 남학생이 고른 운동 경기가 어떻게 다른지 이야기해 보자. (   )

(3) 모은 자료를 칠판에 붙이면 반 친구들이 자료의 내용을 한눈에 알아볼 수 있어서 편하다.

(   )

✎ 122~123쪽에서 공부한 낱말을 떠올리며 문제를 풀어 보세요.

5 다음 뜻을 가진 낱말을 완성하세요.

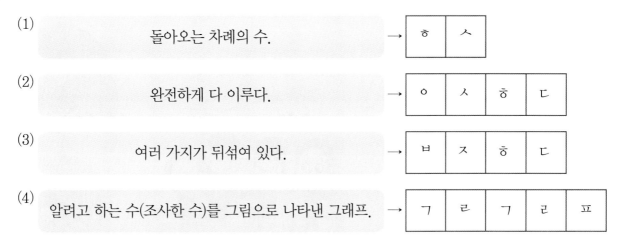

(1) 돌아오는 차례의 수. → | ㅎ | ㅅ |

(2) 완전하게 다 이루다. → | ㅇ | ㅅ | ㅎ | ㄷ |

(3) 여러 가지가 뒤섞여 있다. → | ㅂ | ㅈ | ㅎ | ㄷ |

(4) 알려고 하는 수(조사한 수)를 그림으로 나타낸 그래프. → | ㄱ | ㄹ | ㄱ | ㄹ | ㅍ |

6 ( ) 안에서 알맞은 낱말을 골라 ○표 하세요.

친구들에게 좋아하는 동물이 무엇인지 (가까이 , 일일이) 물어보고 표로 나타내었다.

7 밑줄 친 낱말의 뜻을 찾아 선으로 이으세요.

(1) 문을 <u>세게</u> 밀다. •

(2) 공을 <u>세게</u> 던지다. •

(3) 붙임딱지의 수를 일일이
<u>세어</u> 보았다. •

• 힘이 많다.

• 수를 헤아리다.

8 밑줄 친 낱말의 쓰임이 알맞으면 ○표, 알맞지 <u>않으면</u> ✕표 하세요.

(1) 제기를 찬 <u>횟수</u>를 표로 나타내었다. ( )

(2) 지난주부터 그린 그림을 드디어 <u>복잡했다</u>. ( )

(3) 계란의 수를 <u>완성해</u> 보았더니 3개가 있었다. ( )

과학 교과서 어휘

다음 중 낱말의 뜻을 잘 알고 있는 것에 ✓ 하세요.

☐ 소리의 세기 ☐ 스피커 ☐ 소리굽쇠 ☐ 떨리다 ☐ 날갯짓 ☐ 조절

우리는 생활하면서 다양한 소리를 들어. 그런데 소리에도 특징이 있대. 관련된 낱말들을 배워 보면서 알아보자.

✏️ 낱말을 읽고, ▨▨▨ 부분에 밑줄을 그으면서 낱말 공부를 해 보세요.

이것만은 꼭!

소리의 세기

뜻 소리의 크고 작은 정도.

예 친구에게 귓속말을 할 때와 확성기로 이야기할 때 소리의 세기는 다르다.

소리가 작다.

소리가 크다.

스피커

뜻 소리를 크게 하여 멀리까지 들리게 하는 기구.

예 스피커를 켜자 음악 소리가 커졌다.

4주차

4회

소리굽쇠

뜻 U자 모양의 쇠막대기 가운데에 자루를 단 기구.

예 소리가 나는 소리굽쇠를 물에 가까이 대면 물이 튀어 오른다.

떨리다

뜻 어떤 것이 작은 폭으로 빠르게 반복해서 흔들리게 되다.

예 종을 칠 때 소리가 나는 까닭은 종이 떨리기 때문이다.

날갯짓

뜻 날개를 아래위로 세게 움직이는 행동.

예 벌은 날갯짓이 무척 빠르다.

둘 이상의 낱말이 합쳐진 말 '짓'이 들어간 말

'날갯짓'은 새나 곤충이 날 때 쓰는 몸의 한 부분을 뜻하는 '날개'와 어떠한 행동을 뜻하는 '짓'이 합쳐진 낱말이야. '고갯짓'도 '고개'와 '짓'이 합쳐진 낱말이지.

조절

調 조절할 조 + 節 절도 절
'조(調)'의 대표 뜻은 '고르다', '절(節)'의 대표 뜻은 '마디'야.

뜻 한쪽으로 기울지 않게 바로잡거나 알맞게 맞추는 것.

예 스피커의 소리 조절 장치를 이용해 소리의 크고 작은 정도를 조절할 수 있다.

비슷한말 조정

'조정'은 어떤 기준이나 상황에 맞게 바로잡아 정리하는 것을 뜻해.

예 친구들과 함께 여행을 가기 위해 날짜를 조정했다.

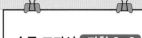
다음 중 낱말의 뜻을 잘 알고 있는 것에 ✓ 하세요.

☐ 소리의 높낮이 ☐ 소리의 반사 ☐ 관 ☐ 전달되다 ☐ 소음 ☐ 방음벽

> 산에서 외치거나 텅 빈 체육관에서 박수를 치면 소리가 울리는 것을 알 수 있어. 소리의 어떤 성질 때문일까? 오늘 배울 낱말들 중에 그 답이 있어!

✏️ 낱말을 읽고, ▨▨▨ 부분에 밑줄을 그으면서 낱말 공부를 해 보세요.

이것만은 꼭!

소리의 높낮이

뜻 소리의 높고 낮은 정도.

예 실로폰과 같은 악기는 소리의 높낮이를 이용해 연주한다.

낮은 소리를 냄.　　　　　　　　　　　높은 소리를 냄.

▲ 실로폰

소리의 반사

소리의 +
反 돌이킬 반 + 射 쏠 사

뜻 소리가 나아가다가 물체에 부딪쳐 되돌아오는 성질.

예 목욕탕은 소리의 반사가 잘 일어나서 소리가 울린다.

관련 어휘 **반사**

'반사'는 빛이나 소리 등이 물체에 부딪쳐 방향을 반대로 바꾸는 것을 말해.

관

筐 대롱 관

뜻 둥글고 속이 비어 있는 물건을 통틀어 이르는 말.

예 팬 플루트는 관의 길이에 따라 소리의 높낮이가 다르다.

관

▲ 팬 플루트

전달되다

傳 전할 **전** + 達 도달할 **달** + 되다

'달(達)'의 대표 뜻은 '통달하다'야.

뜻 신호나 자극 등이 다른 곳에 보내지거나 전해지다.

예 우리 생활에서 들리는 대부분의 소리는 공기를 통해 전달된다.

여러 가지 뜻을 가진 낱말 전달되다

'전달되다'는 "명령이나 물건 등이 다른 대상에게 전해지다."라는 뜻도 있어.

예 친구에게 보낸 편지가 잘 전달되었는지 궁금하다.

소음

騷 떠들 **소** + 音 소리 **음**

뜻 불쾌하고 시끄러운 소리.

예 우리 주변에는 사람이 많은 곳에서 나는 소리, 공장이나 공사장에서 나는 소리 등 다양한 소음이 있다.

방음벽

防 막을 **방** + 音 소리 **음** + 壁 벽 **벽**

뜻 소리가 새어 나가거나 새어 들어오는 것을 막기 위하여 설치한 벽.

예 음악실에 방음벽을 설치하면 소음을 줄일 수 있다.

▲ 차도 주변에 설치한 방음벽

확인 문제

126~127쪽에서 공부한 낱말을 떠올리며 문제를 풀어 보세요.

1 뜻에 알맞은 낱말을 글자판에서 찾아 묶으세요. (낱말은 가로(―), 세로(|) 방향에 숨어 있어요.)

날	갯	짓	스
개	세	조	피
고	기	절	커
떨	리	다	쇠

❶ 날개를 아래위로 세게 움직이는 행동.
❷ 소리를 크게 하여 멀리까지 들리게 하는 기구.
❸ 한쪽으로 기울지 않게 바로잡거나 알맞게 맞추는 것.
❹ 어떤 것이 작은 폭으로 빠르게 반복해서 흔들리게 되다.

2 낱말의 뜻에 맞게 ( ) 안에서 알맞은 말을 골라 ○표 하세요.

(1) **소리의 세기** 소리의 (길고 짧은 , 크고 작은) 정도.

(2) **소리굽쇠** U자 모양의 (쇠막대기 , 유리 막대기) 가운데에 자루를 단 기구.

3 밑줄 친 낱말과 뜻이 비슷한 낱말은 무엇인가요? ( )

소리의 세기를 <u>조절</u>하다.

① 거절 ② 적절 ③ 조사
④ 조심 ⑤ 조정

4 ( ) 안에 들어갈 알맞은 낱말을 보기 에서 찾아 쓰세요.

보기
조절   스피커   날갯짓

(1) 에어컨 온도를 알맞게 ( )하였다.
(2) 새가 ( )을/를 멈추고 나뭇가지에 내려앉았다.
(3) 반 친구들 모두 들을 수 있도록 녹음한 소리를 ( )에 연결했다.

✎ 128~129쪽에서 공부한 낱말을 떠올리며 문제를 풀어 보세요.

5 뜻에 알맞은 낱말을 보기 에서 찾아 쓰세요.

보기
| 관 | 소음 | 방음벽 | 소리의 반사 | 소리의 높낮이 |

(1) ( ): 소리의 높고 낮은 정도.

(2) ( ): 불쾌하고 시끄러운 소리.

(3) ( ): 둥글고 속이 비어 있는 물건을 통틀어 이르는 말.

(4) ( ): 소리가 나아가다가 물체에 부딪쳐 되돌아오는 성질.

(5) ( ): 소리가 새어 나가거나 새어 들어오는 것을 막기 위하여 설치한 벽.

6 밑줄 친 낱말의 뜻으로 알맞은 것에 ○표 하세요.

(1)
꼬불꼬불한 관 속의 공기를 통해 소리가 <u>전달된다</u>.

㉠ 명령이나 물건 등이 다른 대상에게 전해지다. ( )
㉡ 신호나 자극 등이 다른 곳에 보내지거나 전해지다. ( )

(2)
추석을 맞아 어려운 이웃들에게 작은 선물이 <u>전달되었다</u>.

㉠ 명령이나 물건 등이 다른 대상에게 전해지다. ( )
㉡ 신호나 자극 등이 다른 곳에 보내지거나 전해지다. ( )

7 (1)~(3)에 들어갈 낱말을 완성하세요.

도로 근처에 사는 사람들 중에는 자동차가 달리는 소리, 자동차가 경적을 울리는 소리 등 여러 가지 (1) | ㅅ | ㅇ | 때문에 괴로워하는 사람들이 많다. 이 문제를 해결하기 위해서는 도로에 (2) | ㅂ | ㅇ | ㅂ | 을 설치하여 소리가 잘 (3) | ㅈ | ㄷ | 되지 않도록 해야 한다.

한자 어휘

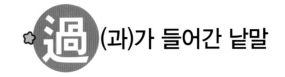

過(과)가 들어간 낱말

✎ '過(과)'가 들어간 낱말을 읽고, ▨▨ 부분에 밑줄을 그으면서 낱말 공부를 해 보세요.

過

지날 과

'과(過)'는 사람이 지나는 길에 나뒹구는 뼈를 나타낸 글자야. '과(過)'는 사람이 지나갔음을 뜻하게 되면서 '지나다'라는 뜻을 갖게 되었어. '과(過)'는 '지나치다'의 뜻도 있어.

통過

경過

過유불급

過소비

지나다 過

통과

通 통할 통 + 過 지날 과

🈯 어떤 장소나 때를 거쳐서 지나감.

🈁 마라톤 경기 때문에 경찰이 차량 통과를 막았다.

여러 가지 뜻을 가진 낱말 통과

'통과'는 시험, 검사, 심사 등에서 인정되거나 합격하는 것이라는 뜻도 있어.

🈁 형이 어려운 시험을 통과했다.

경과

經 지날 경 + 過 지날 과

🈯 시간이 지나감.

🈁 약속 시간이 삼십 분이나 경과했는데도 친구가 오지 않았다.

지나치다 過

과유불급

過 지나칠 과 + 猶 같을 유 + 不 아닐 불 + 及 미칠 급

👆 '유(猶)'의 대표 뜻은 '오히려'야.

🈯 정도가 지나친 것은 미치지 못한 것과 같다는 뜻으로, 무엇이든 지나친 것은 좋지 않음을 말함.

🈁 과유불급이라고 운동도 너무 많이 하면 몸에 좋지 않다.

과소비

過 지나칠 과 + 消 사라질 소 + 費 쓸 비

🈯 돈이나 물건 등을 지나치게 많이 써서 없애는 일.

🈁 마트에서 고기를 싸게 팔아서 많이 샀는데 과소비를 한 것 같다.

✿ 美(미)가 들어간 낱말

🖊 '美(미)'가 들어간 낱말을 읽고,　　　 부분에 밑줄을 그으면서 낱말 공부를 해 보세요.

美
아름다울 미

'미(美)'는 양팔을 벌리고 있는 사람과 양의 모습을 표현한 글자를 합쳐 만들었어. 아름다움을 위해 머리에 양의 뿔이나 깃털 장식을 한 사람을 표현한 것에서 '아름답다'라는 뜻을 갖게 되었지. '미(美)'는 '맛있다', '미국'이라는 뜻도 있어.

팔방美인
美술
美식가
美군

아름답다
美

✿ 팔방미인

八 여덟 **팔** + 方 방향 **방** + 美 아름다울 **미** + 人 사람 **인**
🖱 '방(方)'의 대표 뜻은 '모'야.

🈯 어느 면으로 보아도 아름다운 사람.

🈁 언니는 얼굴도 예쁘고 마음씨도 고운 팔방미인이다.

✿ 미술

美 아름다울 **미** + 術 재주 **술**

🈯 그림이나 조각처럼 눈으로 보고 느끼는 아름다움을 표현한 예술.

🈁 미술 시간에 유명한 화가에 대해 배웠다.

맛있다 · 미국
美

✿ 미식가

美 맛있을 **미** + 食 먹을 **식** + 家 정통한 사람 **가**
🖱 '가(家)'의 대표 뜻은 '집'이야.

🈯 맛있고 좋은 음식을 찾아 먹는 것을 즐기는 사람.

🈁 이 식당은 미식가들도 인정한 곳이다.

✿ 미군

美 미국 **미** + 軍 군사 **군**

🈯 미국 군대 또는 미국 군인.

🈁 이모는 미군과 결혼하여 미국으로 건너갔다.

✎ 132쪽에서 공부한 낱말을 떠올리며 문제를 풀어 보세요.

1 뜻에 알맞은 낱말을 빈칸에 쓰세요.

(1)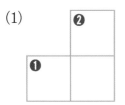

> 가로 열쇠 ❶ 어떤 장소나 때를 거쳐서 지나감.
> 세로 열쇠 ❷ 시간이 지나감.

(2)

> 가로 열쇠 ❶ 무엇이든 지나친 것은 좋지 않음.
> 세로 열쇠 ❶ 돈이나 물건 등을 지나치게 많이 써서 없애는 일.

2 밑줄 친 '과'가 '지나다'의 뜻으로 쓰인 낱말에 ○표 하세요.

(1) 경과 (   )   (2) 과소비 (   )   (3) 과유불급 (   )

3 보기 의 밑줄 친 낱말과 같은 뜻으로 쓰인 것에 ○표 하세요.

> 보기
>
> 차가 너무 밀려 사거리를 통과하는 데 30분이나 걸렸다.

(1) 저 터널만 통과하면 바다가 나올 것이다. (   )

(2) 누나가 운전면허 시험에 통과했다며 무척 기뻐했다. (   )

4 밑줄 친 낱말을 바르게 사용하지 못한 친구의 이름을 쓰세요.

10분 통과할 때마다 주차비를 200원씩 더 내야 해.
재훈

과유불급이라는 말처럼 몸에 좋은 음식도 너무 많이 먹으면 안 좋아.
영진

과소비를 막기 위해서는 꼭 필요한 물건인지 여러 번 생각하는 태도가 필요해.
세현

(   )

✎ 133쪽에서 공부한 낱말을 떠올리며 문제를 풀어 보세요.

5 낱말의 뜻을 찾아 선으로 이으세요.

(1) 미술 •

(2) 미군 •

(3) 미식가 •

(4) 팔방미인 •

• 미국 군대 또는 미국 군인.

• 어느 면으로 보아도 아름다운 사람.

• 맛있고 좋은 음식을 찾아 먹는 것을 즐기는 사람.

• 그림이나 조각처럼 눈으로 보고 느끼는 아름다움을 표현한 예술.

6 밑줄 친 '미'가 '아름답다'의 뜻으로 쓰이지 <u>않은</u> 것에 ✕표 하세요.

(1) <u>미</u>술

(   )

(2) <u>미</u>군

(   )

(3) 팔방<u>미</u>인

(   )

7 밑줄 친 '미'의 뜻으로 알맞은 것은 무엇인가요? (   )

<u>미</u>식가

① 미국   ② 음식   ③ 맛있다
④ 전문가   ⑤ 아름답다

8 (   ) 안에 들어갈 알맞은 낱말을 [보기]에서 찾아 쓰세요.

[보기]
미술
미식가
팔방미인

(1) 내 친구는 날씬하고 얼굴도 예뻐서 (   )(이)라는 소리를 듣는다.

(2) (   )(으)로 불리는 고모는 맛있는 음식을 찾아 먹는 것을 좋아한다.

(3) 선생님께서 다음 (   ) 시간에는 미래 모습 상상하여 그리기를 한다고 하셨다.

✏️ 4주차 1~5회에서 공부한 낱말을 떠올리며 문제를 풀어 보세요.

낱말 뜻

1 뜻에 알맞은 낱말을 **보기**에서 찾아 쓰세요.

> **보기**
>
> 평등   고르다   소리굽쇠   복잡하다   관람하다

(1) (   ): 여러 가지가 뒤섞여 있다.

(2) (   ): 여럿 중에서 어떤 것을 뽑다.

(3) (   ): 의무, 자격 등이 차별 없이 똑같음.

(4) (   ): 연극, 영화, 운동 경기 등을 구경하다.

(5) (   ): U자 모양의 쇠막대기 가운데에 자루를 단 기구.

낱말 뜻

2 ~ 4 다음 낱말의 뜻으로 알맞은 것에 ○표 하세요.

2 수집하다
(1) 취미나 연구를 위하여 물건이나 자료 등을 찾아서 모으다. (   )
(2) 어떤 일이나 내용을 알기 위하여 자세히 살펴보거나 찾아보다. (   )

3 일일이
(1) 하나씩 하나씩. (   )
(2) 하나도 빠뜨리지 않고. (   )

4 통과
(1) 시간이 지나감. (   )
(2) 어떤 장소나 때를 거쳐서 지나감. (   )

반대말

5 뜻이 반대인 낱말끼리 짝 지어진 것의 기호를 쓰세요.

> ㉠ 갈등 – 마찰   ㉡ 평등 – 불평등
> ㉢ 수집하다 – 모으다   ㉣ 협력하다 – 협동하다

(   )

정답과 해설 ▶ 64쪽

여러 가지 뜻을 가진 낱말

6 빈칸에 공통으로 들어갈 알맞은 낱말은 무엇인가요? (   )

> • 책을 종류별로 [   ]하였다.   • 지저분한 책상 위를 [   ]하였다.

① 수리   ② 정리   ③ 정지
④ 정확   ⑤ 마무리

둘 이상의 낱말이 합쳐진 말

7 다음 낱말은 어떤 낱말이 합쳐진 것인지 쓰세요.

(1) 날갯짓 → [   ] + [   ]

(2) 고갯짓 → [   ] + [   ]

낱말 활용

8 ~ 10 (   ) 안에 들어갈 알맞은 낱말을 보기 에서 찾아 쓰세요.

> **보기**
>
> 갈등   횟수   과유불급

8 출근이나 퇴근 시간 때에는 지하철 운행 (   )이/가 늘어난다.

9 (   )(이)라고 화분에 물을 많이 주었더니 오히려 꽃이 시들었다.

10 아무리 친한 친구라도 생각이 다를 때에는 (   )이/가 생겨 다투기도 한다.

찾아보기

『어휘가 문해력이다』 초등 3학년 2학기에 수록된 모든 어휘를
과목별로 나누어 ㄱ, ㄴ, ㄷ … 순서로 정리했습니다.

과목별로 뜻이 궁금한 어휘를 바로바로 찾아보세요!

차례

국어 교과서 어휘

수학 교과서 어휘

과학 교과서 어휘

한자 어휘

사진 자료 출처

· **국립중앙박물관**   주먹도끼(51쪽), 빗살무늬 토기(51쪽), 반달 돌칼(51쪽),
                     시루(52쪽), 가락바퀴(53쪽)

· **셔터스톡, 아이클릭아트, 아이엠서치**

"
어휘가
문해력이다
어휘 학습으로
문해력 키우기
"

어휘 학습 점검

1 주차

1주차에서 학습한 어휘를 잘 알고 있는지 ✔ 해 보고,
잘 모르는 어휘는 해당 쪽으로 가서 다시 한번 확인해 보세요.

어휘 학습 점검

2주차에서 학습한 어휘를 잘 알고 있는지 ✔해 보고,
잘 모르는 어휘는 해당 쪽으로 가서 다시 한번 확인해 보세요.

국어

사회

수학

과학

한자

어휘가
문해력이다

초등 **3**학년 **2**학기
교과서 어휘

정답과 해설

EBS
당신의 문해력

어휘가
문해력
이다

초등 3학년 2학기

1주차 정답과 해설

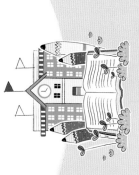

1주차 1회

국어 교과서 어휘

수록 교과서 국어 3-2 ㉮
1. 작품을 보고 느낌을 나누어요

다음 중 낱말의 뜻을 잘 알고 있는 것에 ✓ 하세요.
☐ 작품 ☐ 표정 ☐ 몸짓 ☐ 역할극 ☐ 만화 영화 ☐ 분명하다

낱말을 읽고, ___ 부분에 알맞은 낱말을 그으면서 낱말 공부를 해 보세요.

작품
作 지을 작 + 品 물건 품
뜻 그림, 동화, 시 등 예술 활동으로 만든 것.
예 이야기 극장 놀이로 표현하고 싶은 작품으로 전래 동화 「의좋은 형제」를 골랐다.

> 다양한 작품을 만드는구나.
> 이 동화를 손 사람인 시로 쓰고 영화도 만드네.

표정
表 겉 표 + 情 뜻 정
뜻 생각이나 기분 등이 얼굴에 드러남.
예 상처를 치료해 주신 보건 선생님께 활짝 웃는 표정으로 드렸다.

이것만은 꼭!
비슷한말 **얼굴빛**
'얼굴빛'은 얼굴에 나타나는 표정이나 빛깔을 뜻해.
예 정운이는 항상 얼굴빛이 밝다.

몸짓
뜻 몸을 움직이는 모양.
예 삼 년 고개에서 넘어져 삼 년밖에 살지 못하게 되었다는 것을 안 힘없어지는 발음 동 동구르는 몸짓을 하며 말했다.

비슷한말 **동작**
'동작'은 몸이나 손발 등을 움직이는 것을 뜻하는 낱말이야.
예 선생님께서 보여 주시는 동작을 그대로 따라 했다.

> '몸짓'이 '몸과 짓'을 합쳐서 만든 낱말이야.

역할극
役 일할 역 + 割 나눌 할 + 劇 연극 극
뜻 정한 상황에 맞게 역할을 맡아 연기하는 연극.
예 친구들과 각자 역할을 맡아 역할극을 했다.

'역(役)'의 대표 뜻은 '부리다', '할(割)'의 대표 뜻은 '베다', '극(劇)'의 대표 뜻은 '심하다'.

만화 영화
漫 흩어질 만 + 畫 그림 화 + 映 비칠 영 + 畫 그림 화
뜻 여러 장의 만화를 이어서 찍어 움직이는 것처럼 보이게 만든 영화.
예 인물의 표정, 몸짓, 말투에 주의하며 만화 영화를 보면 만화 영화를 더 재미있게 볼 수 있다.

분명하다
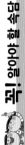
分 나눌 분 + 明 밝을 명 + 하다
뜻 어떤 사실이 틀림없고 확실하다.
예 역할극을 볼 때 친구들이 자연스러운 몸짓으로 뜻을 분명하게 전달하는지 살펴보자.
비슷한말 **명확하다**
'명확하다'는 "분명하고 확실하다."라는 뜻이야.
예 해야 할 것과 하지 않아야 할 것을 명확하게 구분해야 한다.

Tip '분명하다'는 '의심할 바 없이 아주 뚜렷하다.'라는 뜻이에요.

꼭! 알아야 할 속담

> 남의 손의 떡은 커 보인다더니 지연이 것이 더 큰 것 같아. 에헤헤
> 지연아, 내 거랑 그거 바꾸자.
> 그래.
> 다시 바꾸자 처음 꺼 더 큰 것 같아.
> 잠깐만! 다시 바꾸자!
> 그만 바꾸고 좀 먹자.

'남의 손의 떡'이란 ☐ 은 커 보인다'는 남의 물건이 자신의 것보다 더 좋아 보이고 남의 일이 자신의 일보다 더 쉬워 보임을 이르는 말입니다.

반칸 채우기

1주차 1회 교과서 어휘

다음 중 낱말의 뜻을 잘 알고 있는 것에 ✔ 하세요.

☐ 중심 생각 ☐ 담기다 ☐ 반대말 ☐ 관련되다 ☐ 수칙 ☐ 토박이말

낱말을 읽고, 부분에 알맞은 말을 그으면서 낱말 공부를 해 보세요.

이것만은 꼭!

중심 생각
中 가운데 중 + 心 마음 심 + 생각

뜻 글쓴이가 글 전체에서 말하고 싶은 생각.

예 글쓴이가 글을 잘 보존해야 한다는 중심 생각을 전하기 위해서 이 글을 썼다.

> '중심 생각'을 '주제'라고도 해. '주제'는 글에서 나타내거나 하는 중심이 되는 생각을 말해.

담기다

뜻 내용이나 생각이 그림, 글, 말 등에 나타나거나 포함되다.

예 읽고 싶은 내용이 담긴 글을 읽고 내용을 간추려 보자.

어법 담다 → 담기다
'담다'는 "내용이나 생각을 그림, 글 등에 나타내거나 포함하다."라는 뜻이야. '담기다'는 '담다'에 기를 붙여서 그 동작을 당하게 되는 뜻을 더한 거야. 비슷하게 되는 예로 '안기다', '찢기다', '쫓기다'가 있어.

반대말
反 반대할 반 + 對 대할 대 + 말

뜻 서로 정반대되는 뜻을 담고 있는 한 쌍의 말.

예 '길다'의 반대말은 '디디다'이다.

관련 어휘 비슷한말
'비슷함말'은 뜻이 서로 비슷한 말을 못해. '책상'의 비슷한말은 '서상'이다.

> '정반대'는 완전히 반대되는 거을 뜻해.

관련되다
關 관계할 관 + 聯 연결할 련 + 되다

뜻 둘 등 이상의 사람, 물건 등이 서로 가까운 관계에 있다.

예 글과 관련된 기억을 떠올리며 읽었더니 글의 내용이 쉽게 이해됐다.

Tip '연이다'는 '어떤 일이나 상태가 끊어지거나 멈추지 않고 계속되다.'라는 뜻이에요.

수칙
守 지킬 수 + 則 법도 칙

뜻 행동이나 순서에 대해 지켜야 할 점을 정한 규칙.

예 과학 실험 안전 수칙에는 선생님과 함께 실험하기. 과학실에서 장난치지 않기 등이 있다.

토박이말
土 흙 토 + 박이말

뜻 우리말에 원래부터 있던 말이나 그것에 더해 새로 만들어진 말.

예 '꽃샘추위는 이른 봄에 찾아오는 추위를 일컫는 토박이말이다.

> '토박이말'을 '순우리말', '고유어'라고도 해.

꼭 알아야 할 관용어

확인 문제

12~13쪽에서 공부한 낱말을 떠올리며 문제를 풀어 보세요.

1 보기에 있는 글자 카드로 뜻에 알맞은 낱말을 만들어 쓰세요. (같은 글자 카드를 여러 번 쓸 수 있어요.)

보기
| 만 | 몸 | 몸 | 영 | 작 | 짓 | 품 | 화 |

(1) 몸을 움직이는 모양. → ☐☐

(2) 그림, 동화, 시 등 예술 활동으로 만든 것. → ☐☐

(3) 여러 장의 만화를 이어서 찍어 움직이는 것처럼 보이게 만드는 영화. → ☐☐☐

해설 | (1) 몸을 움직이는 모양을 뜻하는 낱말은 몸짓입니다. (2) 그림, 동화, 시 등 예술 활동으로 만든 것을 뜻하는 낱말은 작품입니다. (3) 여러 장의 만화를 이어서 찍어 움직이는 것처럼 보이게 만드는 영화는 만화 영화입니다.

2 낱말의 뜻에 대해 바르게 말하지 못한 친구의 이름을 쓰세요.

성현 영주 민정

해설 | 표정은 생각이나 기분 등이 얼굴에 드러나는 것을 뜻합니다.

3 안의 낱말과 뜻이 비슷한 낱말은 무엇인가요? (①)

분명하다

① 명확하다 ② 분류하다
④ 유명하다 ⑤ 흩어지다

해설 | 분명하다와 뜻이 비슷한 낱말은 명확하다입니다.

4 밑줄 친 낱말의 쓰임이 알맞으면 ○표, 알맞지 않으면 ×표 하세요.

(1) 동생이 하나 몸짓을 지었다. (×)

(2) 지우가 머리를 규칙으로 표정을 하며 사과했다. (×)

(3) 친구들과 '배설 공주'라는 작품을 역할극으로 꾸미기로 했다. (○)

해설 | (1) 동생이 한번 표정을 지었다. '기'가 바른 문장입니다. (2) '지우가 머리를 규칙으로 문장을 꾸미기로'

14~15쪽에서 공부한 낱말을 떠올리며 문제를 풀어 보세요.

5 뜻에 알맞은 낱말을 글자판에서 찾아 묶어요. (낱말은 가로(→), 세로(↓) 방향에 숨어 있어요.)

수	직	중	심
비	숫	한	반
담	기	다	대
토	박	이	말

❶ 서로 정반대되는 뜻을 담고 있는 한 쌍의 낱말.

❷ 행동이나 순서에 대해 지켜야 할 정해 놓은 규칙.

❸ 우리말에 원래부터 있던 말이나 그것에 더해 새로 만들어진 말.

해설 | ❶ 서로 정반대되는 뜻을 담고 있는 한 쌍의 낱말을 뜻하는 낱말은 반대말입니다. ❷ 행동이나 순서에 대해 지켜야 할 정한 규칙을 뜻하는 낱말은 규칙입니다. ❸ 우리말에 원래부터 있던 말이나 그것에 더해 새로 만들어진 말은 토박이말입니다.

6 낱말의 뜻에 맞게 ( ) 안에서 알맞은 말을 골라 ○표 하세요.

(1) 중심 생각 : 글쓴이가 글 전체에서 말하고 싶은 (경험 , 생각).

(2) 관련되다 : 둘 이상의 사람, 물건 등이 서로 가까운 (곳 , 관계)에 있다.

해설 | (1) 중심 생각은 글쓴이가 글 전체에서 말하고 싶은 생각을 뜻하는 낱말입니다. (2) '관련되다는 '둘 이상의 사람, 물건 등이 서로 가까운 관계에 있다.'라는 뜻이 낱말입니다.

7 보기와 같이 문장을 바꾸어 쓸 때 ( ) 안에 알맞은 말을 쓰세요.

보기
글에 의견을 담다. → 이전의 글에 글에 담기다.

(1) 엄마가 아기를 안다. → 아기가 엄마에게 (안기다).

(2) 경찰이 도둑을 쫓다. → 도둑이 경찰에게 (쫓기다).

해설 | (1) 아기가 엄마에게 안기게 되는 것이므로 '안기다라고 써야 합니다. (2) 도둑이 경찰에게 쫓기게 되는 것이므로 '쫓기다라고 써야 합니다.

8 밑줄 친 낱말을 바르게 사용하지 못한 친구의 이름을 쓰세요.

유미 성현

다빈: 교실에서 지켜야 할 안전 수칙을 말해 보자.
성현: '함박눈'과 '진눈깨비'는 모두 눈과 관련된 말이야.
유미: '마른장마'는 장마인데도 비가 오지 않거나 적게 오는 것을 뜻하는 반대말이야.

(유미)

해설 | 유미는 '반대말'이 아닌 '토박이말'이나 '순우리말' 또는 '고유어'를 넣어 말해야 합니다.

조선소
造 지을 조 + 船 배 선 + 所 곳 소

뜻 배를 만들거나 고치는 곳.

예 우리 고장에는 배를 만드는 조선소가 있다.

Tip '반도'의 대표 뜻을 떠올려요

뜻을 더해 주는 말 '-소'
'-소'는 장소의 뜻을 더해 주는 말이야. '조선소'처럼 '-소'가 붙어서 만들어진 낱말에는 '매표소', '목공소' 등이 있어.
• 매표소: 차표나 입장권 등을 파를 파는 곳.
• 목공소: 나무로 가구 등의 여러 물건을 만드는 곳.

강수량
降 내릴 강 + 水 물 수 + 量 헤아릴 량

뜻 일정한 곳에 일정 기간 내리는 눈, 비 등이 물의 양.

예 우리네 고장은 여름에 강수량이 많다.

> 강수량, 교통량, 사용량, 학습량에 쓰이는 '량'은 양의 뜻을 나타내는 말이야.

숙박 시설
宿 잠잘 숙 + 泊 머무를 박 + 施 베풀 시 + 設 베풀 설

뜻 관광객, 여행객이 잠을 자고 머무를 수 있도록 만든 시설.

예 바다가 있는 고장에 사는 사람들은 펜션 같은 숙박 시설을 운영해 관광객에게 빌려준다.

여가 생활
餘 남을 여 + 暇 틈 가 + 生 살 생 + 活 살 활

Tip 여가는 일이 없어 남는 시간을 의미하며, 여가 생활은 남는 시간에 취미 활동 등을 하는 생활을 말해요.

뜻 스스로 즐거움을 얻기 위해 남는 시간에 하는 자유로운 활동.

예 사람들은 등산이나 낚시 등 다양한 여가 생활을 한다.

▲ 다양한 여가 생활

1주차 2회
사회 교과서 어휘

수록 교과서 사회 3-2
1. 환경에 따라 다른 삶의 모습

다음 중 낱말의 뜻을 잘 읽고 있는 것에 ✓ 하세요.
□ 인문 환경 □ 하천 □ 조선소 □ 강수량 □ 숙박 시설 □ 여가 생활

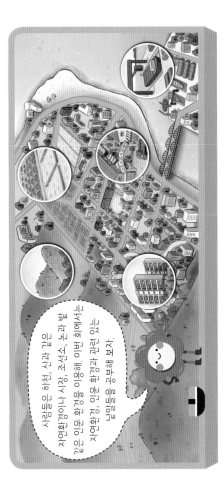

> 사람들은 하천, 산과 같은 자연환경이나 시장, 조선소, 논과 밭 같은 인문 환경을 이용해. 이번 회에서는 자연환경과 인문 환경과 관련 있는 낱말들을 공부해 보자.

낱말을 읽고, 부분에 알맞은 낱말을 그으면서 낱말 공부를 해 보세요.

인문 환경
人 사람 인 + 文 글월 문 + 環 고리 환 + 境 지경 경

뜻 사람들이 만든 환경.

예 논과 밭, 다리, 도로 등은 모두 인문 환경에 해당한다.

Tip '글월'은 글이나 문장을 뜻하는 낱말이에요.

관련 어휘 자연환경
'자연환경'은 산, 바다와 같은 땅의 생김새와 날씨에 영향을 주는 눈, 비, 바람 등 자연 그대로의 것을 말해.

하천
河 물 하 + 川 내 천

뜻 강과 시내를 아울러 이르는 말.

예 고장 사람들은 하천의 물을 생활에 이용한다.

> '시내'는 골짜기나 평지에서 흐르는 작은 물줄기를 뜻하는 말이야.

1주차 2회
사회 교과서 어휘

수록 교과서 [사회 3-2]
1. 환경에 따라 다른 삶의 모습

다음 중 낱말의 뜻을 잘못 읽고 있는 것에 ✓ 하세요.

□ 의식주 □ 챙 □ 식생활 □ 너와집
□ 의생활 □ 주생활

환경에 따라 옷, 음식, 집도 달라진다는 것 알고 있어? 이번 회에서는 사람들이 살아가는 데 꼭 필요한 옷, 음식, 집과 관련된 낱말들에 대해 알아보자.

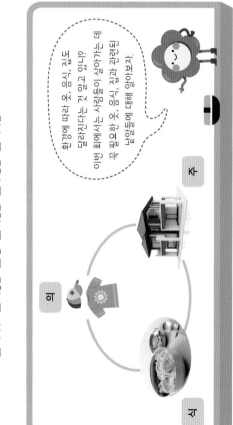

낱말을 읽고, ☐ 부분에 알맞은 글자를 넣어 공부를 해 보세요.

의
주
식

이것은 꼭!

의식주
衣옷 의 + 食먹을 식 + 住살 주
뜻 사람이 살아가는 데 필요한 옷, 음식, 집을 이르는 말.
예 우리나라의 대표적인 의식주에는 한복, 김치, 한옥이 있다.

옷 음식 집
의식주

의생활
衣옷 의 + 生날 생 + 活살 활
뜻 입는 일이나 입는 옷에 대한 생활.
예 여름에는 바람이 잘 통하는 옷을 입고 겨울에는 두꺼운 옷을 입는 것처럼 의생활 모습은 계절과 날씨에 따라 달라진다.

챙
뜻 햇볕을 가리기 위해 모자의 끝에 댄 부분.
예 덥고 비가 많이 내리는 고장에서는 챙이 넓은 모자를 쓴다.

챙

식생활
食먹을 식 + 生날 생 + 活살 활
뜻 먹는 일이나 먹는 음식에 대한 생활.
예 고장마다 발달한 음식이 다른데 그 까닭은 고장의 자연환경이 고장 사람들의 식생활 모습에 영향을 주었기 때문이다.

생선을 이용한 음식이 발달했어!

바다로 둘러싸인 고장에 사는 사람들의 식생활 모습을 살펴보자.

주생활
住살 주 + 生날 생 + 活살 활
뜻 사는 집이나 사는 곳에 대한 생활.
예 러시아에 있는 고장 사람들은 나무로 집을 지었고, 타이에 있는 고장 사람들은 물 위에 집을 짓는 등 세계 여러 고장 사람들의 주생활 모습은 다양하다.

너와집
뜻 얇은 돌조각이나 평평한 나뭇조각으로 지붕을 얹은 집.
예 나무를 쉽게 구할 수 있는 고장에 사는 사람들은 나뭇조각으로 지붕을 얹은 너와집을 짓고 싶었다.

너와
▲ 너와집(울릉도)

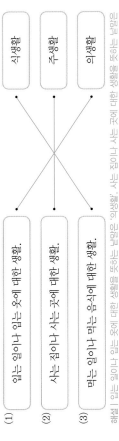
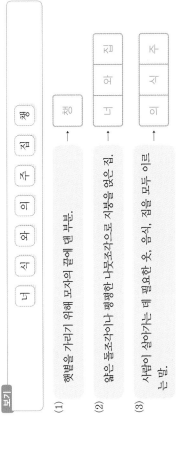

✏️ 20~21쪽에서 공부한 낱말을 떠올리며 문제를 풀어 보세요.

5 보기에 있는 글자 카드로 뜻에 알맞은 낱말을 만들어 쓰세요.

보기: 니 식 외 주 집 챙

(1) 햇볕을 가리기 위해 모자의 끝에 댄 부분. → 챙
(2) 앉은 동조각이나 평평한 나뭇조각으로 지붕을 얹은 집. → 너와집
(3) 사람이 살아가는 데 필요한 옷, 음식, 집을 모두 이르는 말. → 의식주

해설 | (1) 햇볕을 가리기 위해 모자의 끝에 댄 부분을 뜻하는 낱말은 '챙'입니다. (2) 앉은 동조각이나 평평한 나뭇조각으로 지붕을 얹은 집을 뜻하는 낱말은 '너와집'이라고 합니다. (3) 사람이 살아가는 데 필요한 옷, 음식, 집을 모두 이르는 말은 '의식주'입니다.

6 다음 뜻을 가진 낱말을 찾아 선으로 이으세요.

(1) 입는 일이나 입는 옷에 대한 생활. — 식생활
(2) 사는 집이나 사는 곳에 대한 생활. — 주생활
(3) 먹는 일이나 먹는 음식에 대한 생활. — 의생활

해설 | 입는 일이나 입는 옷에 대한 생활을 뜻하는 낱말은 '의생활', 사는 집이나 사는 곳에 대한 생활을 뜻하는 낱말은 '주생활', 먹는 일이나 먹는 음식에 대한 생활을 뜻하는 낱말은 '식생활'입니다.

7 ( ) 안에 들어갈 알맞은 낱말을 보기에서 찾아 쓰세요.

보기: 챙 의생활 식생활

(1) (의생활)의 예에는 옷, 신발, 모자 등이 있다.
(2) 덥고 습한 고장에 사는 사람들은 햇볕을 가리기 위해서 (챙)이 넓은 모자를 쓴다.
(3) 고장마다 다른 (식생활) 모습을 살펴보면 평양은 냉면이 유명하고, 안동은 간고등어가 유명하다.

해설 | (1) 옷, 신발, 모자 등은 모두 의생활의 예에 해당합니다. (2) 햇볕을 가리기 위해 어떤 모자를 쓰는지에 대한 문장으로 '챙'이 들어가야 합니다. (3) 평양은 냉면이 유명하고, 안동은 간고등어가 유명하다는 내용으로 보아, '식생활'이 들어가야 합니다.

확인 문제

✏️ 18~19쪽에서 공부한 낱말을 떠올리며 문제를 풀어 보세요.

1 낱말의 뜻을 보기에서 찾아 사다리를 타고 내려간 곳에 기호를 쓰세요.

하천   조선소   인문 환경   여가 생활

보기:
㉠ 사람들이 만든 환경. - 인문 환경
㉡ 배를 만들거나 고치는 곳. - 조선소
㉢ 강과 시내를 이르는 말. - 하천
㉣ 스스로 즐거움을 얻기 위해 남는 시간에 하는 자유로운 활동. - 여가 생활

해설 | '하천'은 강과 시내를 이울러 이르는 말입니다. 또 '조선소'는 배를 만들거나 고치는 곳, '인문 환경'은 사람들이 만든 환경, '여가 생활'은 스스로 즐거움을 얻기 위해 남는 시간에 하는 자유로운 활동을 뜻하는 낱말입니다.

2 낱말의 뜻에 맞게 빈칸에 들어갈 알맞은 말을 쓰세요.

강수량: 일정한 곳에 일정 기간 내린 눈, 비 등이 물의 양.

해설 | 강수량은 일정한 곳에 일정 기간 내린 눈, 비 등이 물의 양을 뜻하는 낱말입니다.

3 밑줄 친 '소'의 공통된 뜻은 무엇인가요? (④)

매표소   조선소   무공소

① 배   ② 시간   ③ 작다   ④ 장소   ⑤ 재료

해설 | '매표소', '조선소', '무공소는 모두 장소의 뜻을 더하는 '-소'가 붙어서 만들어진 낱말입니다.

4 빈칸에 들어갈 알맞은 낱말을 찾아 선으로 이으세요.

(1) 우리 고장의 [   ]에는 다리, 공장 등이 있다. — 숙박 시설
(2) 서영이는 여름 방학 때 영화 감상을 하며 [   ]을 즐겼다. — 인문 환경
(3) 주원이네는 [   ]을 운영해서 휴가 철에 많은 여행객들이 머무르다 간다. — 여가 생활

해설 | (1) 다리, 공장 등은 모두 사람들이 만든 환경이므로 '인문 환경'이 들어가야 합니다. (2) 여름 방학 때 영화 감상을 하며 즐긴 것이므로 '여가 생활'이 들어가야 합니다. (3) 휴가철에 많은 여행객들이 머무르다 간다고 하였으므로 '숙박 시설'이 들어가야 합니다.

좌석
座 자리 좌 + 席 자리 석

뜻 앉을 수 있게 준비된 자리.
예 자기 부상 열차 한 량에는 좌석이 131개 있다.

비슷한말 자리
자리는 사람이 앉을 수 있도록 만들어 놓은 곳이라는 뜻이야.
예 할머니께 자리를 양보해 드렸다.

모눈종이

Tip '방안지'라고도 하는 '모눈종이'는 바둑판 모양으로 선이 그어진 종이를 말해요.
뜻 일정한 간격으로 여러 개의 세로줄과 가로줄을 그린 종이.
예 모눈종이로 (몇)×(몇)의 계산 방법을 알아보자.

줄

뜻 길게 늘어서 있는 사람이나 물건을 세는 단위.
예 나무 심기 행사를 하기 위해 어린나무를 20그루씩 30줄로 준비했다.

여러 가지 뜻을 가진 낱말 줄
줄은 무엇을 묶거나 매는 데 쓰는 가늘고 긴 물건이라는 뜻도 있어.
예 줄로 나뭇가지들을 묶었다.

자루

뜻 물건을 주머니에 담아 그 양을 세는 단위.
예 작년에 재활용 병을 29자루 모았다.

글자는 같지만 뜻이 다른 낱말 자루
'자루'는 길쭉하게 생긴 필기도구나 연장, 무기 등을 세는 단위라는 전혀 다른 뜻도 있어.
예 볼펜 세 자루를 샀다.

1주차 3회 수학 교과서 어휘

다음 중 낱말의 뜻을 잘 읽고 있는 것에 ✓ 하세요.
□ 곱셈식 □ 좌석 □ 모눈종이 □ 줄 □ 자루

수록 교과서 수학 3-2
1. 곱셈

그림에서 좌석에 모두 몇 개의 좌석이 있는지 알려면 곱셈식으로 계산하면 돼. 이번 회차에서는 곱셈식과 관련된 낱말들과 '줄'이나 '자루'와 같이 무엇을 세는 단위에 대해서 알아보자.

여기는 모두 8량인데, 한 량에 좌석이 128개 있단다.

이 열차에 좌석이 모두 몇 개 있나요?

✏ 낱말을 읽고, [   ] 부분에 밑줄을 그어면서 낱말 공부를 해 보세요.

이것만은 꼭!
뜻 몇 개의 수나 식 등을 곱하여 계산하거나 셈하는 식.
예 한 명당 3권씩 231명이 가져올 책의 수를 곱셈식으로 나타내어 보자.

곱셈식
곱셈+式 법 식

곱셈식
231×3=693

$$\begin{array}{r} 2\,3\,1 \\ \times\quad 3 \\ \hline 6\,9\,3 \end{array}$$

곱

뜻 둘 이상의 수 또는 식을 곱하여 얻은 수나 식.
예 720은 80×9의 곱이다.

나누어떨어지다

뜻 나머지가 없이 딱 떨어지게 나누어지다.
예 21÷3을 하면 몫은 7, 나머지는 0으로 나누어떨어진다.

나누다

뜻 나눗셈을 하다.
예 60을 3으로 나누면 20이다.

여러 가지 뜻을 가진 낱말 나누다
'나누다'는 "음식을 함께 먹거나 갈라 먹다."라는 뜻도 있어.
예 친구와 간식을 나누어 먹으며 이야기했다.

모둠

뜻 초등학교, 중학교에서 학습을 위하여 학생들을 작은 규모로 묶은 모임.
예 학생 36명을 3모둠으로 똑같이 나누면 한 모둠은 12명씩이다.

'규모'는 물건이나 현상의 크기나 범위를 뜻해.

세로

뜻 위에서 아래로 이어지는 방향이나 길이.
예 36÷3=12라는 나눗셈식을 세로로 쓰면 $3)\overline{36}$ 12이다.

1주차 3회
수학 교과서 어휘

수록 교과서 수학 3-2
2. 나눗셈

다음 중 낱말의 뜻을 잘 알고 있는 것에 ✓ 하세요.
□ 나눗셈식 □ 나머지 □ 나누어떨어지다 □ 나누다 □ 모둠 □ 세로

이 상자 안에 구슬이 24개가 들어 있어. 우리 셋이 똑같이 나누어 갖자.

상자에 들어 있는 구슬 24개를 세 명의 친구들이 똑같이 나누어 가지려고 해. 한 명이 구슬을 몇 개씩 가질 수 있을까? 나누기와 관련하여 꼭 알아야 할 낱말들을 배워 보자.

✏ 낱말을 읽고, 부분에 알맞은 얼굴을 그으면서 낱말 공부를 해 보세요.

나눗셈식
나눗셈 + 式 법 식

뜻 몇 개의 수나 식 등을 나누어 계산하거나 셈하는 식.
예 사과 10개를 한 묶음에 2개씩 담으면 몇 묶음이 되는지 구하는 나눗셈식을 써 보세요.

나눗셈식
10÷2=5 $2)\overline{10}$ 5

나머지

뜻 나누어 똑 떨어지지 않고 남는 수.
예 19를 4로 나누면 몫은 40고 30 남는다. 이때 3을 19÷4의 나머지라고 한다.

이것만은 꼭!
'떨어지다'는 "나눗셈에서 나머지가 없이 나누어지다."라는 뜻이야.

확인 문제

24~25쪽에서 공부한 낱말을 떠올리며 문제를 풀어 보세요.

1 뜻에 알맞은 낱말을 글자판에서 찾아 묶으세요. (낱말은 가로(—), 세로(|) 방향에 숨어 있어요.)

❶ 물건을 주머니에 담아 그 양을 세는 단위.
❷ 둘 이상의 수 또는 식을 곱하여 얻은 수나 식.
❸ 길게 늘어서 있는 사람이나 물건을 세는 단위.
❹ 일정한 간격으로 여러 개의 세로줄과 가로줄을 그린 종이.

해설 | ❶ 물건을 주머니에 담아 그 양을 세는 단위는 낱말은 '자루'입니다. ❷ 둘 이상의 수 또는 식을 곱하여 얻은 수나 식을 세는 낱말은 '곱셈'입니다. ❸ 길게 늘어서 있는 사람이나 물건을 세는 단위를 뜻하는 낱말은 '줄'입니다. ❹ 일정한 간격으로 여러 개의 세로줄과 가로줄을 그린 종이를 뜻하는 낱말은 '모눈종이'입니다.

2 빈칸에 들어갈 단위를 나타내는 말로 알맞은 것에 ○표 하세요.
(1) 할머니께서 썰음 한 [줄 / 자루] 보내 주셨다.
(2) 아이들은 운동장에 두 [줄 / 자루] 로 나란히 섰다.

해설 | (1) 물건을 주머니에 담아 그 양을 세는 단위는 '자루'기를 들어가야 합니다. (2) 길게 늘어서 있는 사람이나 물건을 세는 단위인 '줄'이 들어가야 합니다.

3 밑줄 친 낱말과 뜻이 비슷한 낱말은 무엇인가요? (⑤)

빈 좌석에 앉아있다.

① 땅　　② 집　　③ 구석
④ 바닥　　⑤ 자리

해설 | '좌석'과 뜻이 비슷한 낱말은 앉을 수 있도록 마련해 놓은 곳을 뜻하는 '자리'입니다.

4 ( ) 안에 들어갈 알맞은 낱말을 보기 에서 찾아 쓰세요.

보기: 좌석　곱셈식　모눈종이

(1) 25명이 13일 동안 마신 우유의 개수를 (곱셈식)(으)로 나타내면 25×13이다.
(2) (모눈종이)를 이용하여 14×15를 계산해 보니 색칠한 모눈은 모두 210간이었다.
(3) 열차 5량에 있는 (좌석)의 수는 모두 655개로, 우리 학교 학생들이 모두 앉을 수 있다.

해설 | (1) 25×13으로 나타내었다고 했으므로, '곱셈식'이 들어가야 합니다. (2) 우리 학교 학생들이 모두 앉을 수 있다고 한 것으로 보아, '좌석'이 들어가야 합니다. (3) 색칠한 모눈이 모두 210간이므로, '모눈종이'가 들어가야 합니다.

26~27쪽에서 공부한 낱말을 떠올리며 문제를 풀어 보세요.

5 뜻에 알맞은 낱말을 보기 에서 찾아 쓰세요.

보기: 나머지　나누다　나눗셈식　나누어떨어지다

(1) (나누다): 나눗셈을 하다.
(2) (나머지): 나누어 똑 떨어지지 않고 남은 수.
(3) (나누어떨어지다): 나머지가 없이 딱 떨어지게 나누어지다.
(4) (나눗셈식): 몇 개의 수나 식 등을 나누어 계산하거나 생략하는 식.

해설 | (1) '나눗셈을 하다'라는 뜻을 가진 낱말은 '나누다'입니다. (2) 나누어 똑 떨어지지 않고 남는 수를 뜻하는 낱말은 '나머지'입니다. (3) '나머지가 없이 딱 떨어지게 나누어지다.'라는 뜻을 가진 낱말은 '나누어떨어지다'입니다. (4) 몇 개의 수나 식 등을 나누어 계산하거나 생략하는 식은 이 수나 식 등을 나누어 계산하거나 생략하는 식을 뜻하는 낱말은 '나눗셈식'입니다.

6 낱말의 뜻에 맞게 ( ) 안에서 알맞은 말을 골라 ○표 하세요.
(1) 세로: (위에서 아래로, 왼쪽에서 오른쪽으로) 이어지는 방향이나 길이.
(2) 모둠: 초등학교, 중학교에서 학습을 위하여 학생들을 작은 규모로 묶은 (행사, **모임**).

해설 | (1) '세로'는 위에서 아래로 이어지는 방향이나 길이를 뜻하는 낱말입니다. (2) '모둠'은 초등학교, 중학교에서 학습을 위하여 학생들을 작은 규모로 묶은 모임을 뜻하는 낱말입니다.

7 밑줄 친 낱말이 보기 의 뜻으로 쓰인 것에 ○표 하세요.

보기: 나누다: 나눗셈을 하다.

(1) 김밥을 친구와 나누어 먹었다. ( )
(2) 48을 6으로 나누면 8이므로 몫은 8이다. (○)

해설 | (1) '세로는 위에서 아래로 이어지는 방향이나 길이를 뜻하는 낱말입니다. (2) '모둠은 학생들을 함께 묶어'음식을 함께 먹거나 맛거나 같이 먹다'라는 뜻입니다.

8 빈칸에 들어갈 알맞은 낱말을 낱말 글자 카드를 이용하여 만들어 쓰세요.

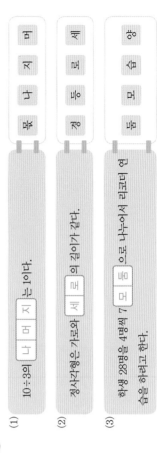

몫 나 지 머　　장 등 로 세　　둠 모 모 습 양

(1) 10÷3이 [나][머][지]는 10이다.
(2) 정사각형은 가로와 세[로]의 길이가 같다.
(3) 학생 28명을 4명씩 7[모][둠]으로 나누어서 릴레이 연습을 하려고 한다.

해설 | (1) 나누어 똑 떨어지지 않고 남는 수를 뜻하는 '나머지'가 들어가야 합니다. (2) 위에서 아래로 이어지는 방향이나 길이를 뜻하는 '세로'가 들어가야 합니다. (3) 초등학교, 중학교에서 학습을 위하여 학생들을 작은 규모로 묶은 모임을 뜻하는 '모둠'이 들어가야 합니다.

과학 교과서 어휘

수록 교과서 과학 3-2
1. 재미있는 나의 탐구

다음 중 낱말의 뜻을 잘 알고 있는 것에 ✓ 하세요.

□ 기록하다 □ 실험 □ 해결하다 □ 보충하다 □ 실행하다 □ 의문

> 과학을 공부하면서 궁금하거나 더 알고 싶은 것이 있다면 이와 관련한 탐구를 해 보면 돼. 오늘은 탐구와 관련한 낱말들에 대해 공부해 보자.

✏️ 낱말을 읽고, 부분에 알맞은 그림을 그리면서 낱말 공부를 해 보세요.

기록하다 記 기록할 기 + 錄 기록할 록 + 하다

뜻 사실이나 생각을 글이나 기호로 적다.
예 관찰한 것 중에서 궁금한 것을 잊지 않도록 기록한다.

비슷한말 쓰다
'쓰다'는 "생각을 종이 등에 글로 나타내다."라는 뜻이다.
예 나는 매일 일기를 쓴다.

실험 實 실제로 행할 실 + 驗 시험할 험

뜻 과학에서 어떤 내용이 옳은지 알아보기 위해 관찰하고 측정함.
예 자석을 다른 자석에 가까이 가져가면 어떻게 되는지 실험을 해 보았다.

實(실제로 행할 실)의 대표 뜻은 '열매'다.

이것만은 꼭!

해결하다 解 풀 해 + 決 결정할 결 + 하다

뜻 어떤 일이나 문제를 잘 풀어서 마무리하다.
예 탐구 문제 해결할 수 있는 방법을 생각하며 계획을 세워 보자.

비슷한말 풀다
'풀다'는 "모르거나 복잡한 문제를 해결하거나 그 답을 알아내다."라는 뜻이야.
예 복잡한 수학 문제를 풀었다.

보충하다 補 보탤 보 + 充 채울 충 + 하다

뜻 부족한 것을 보태어 채우다.
예 탐구 계획에 대한 친구들의 의견을 듣고 부족한 부분이 있으면 보충한다.

비슷한말 보완하다
'보완하다'는 "모자라거나 부족한 것을 보충하여 완전하게 하다."라는 뜻이야.
예 제품의 문제점을 보완했다.

Tip '補'는 "떨어진 곳을 꿰매다."라는 뜻이에요.

실행하다 實 실제로 행할 실 + 行 행할 행 + 하다

뜻 실제로 하다.
예 계획에 따라 탐구를 실행해야 한다.

비슷한말 실시하다
'실시하다'도 "실제로 하다."라는 뜻이야.
예 내일 지진 대비 훈련을 실시할 예정이다.

'행(行)'의 대표 뜻은 '다니다'이다.

의문 疑 의심할 의 + 問 물을 문

뜻 어떤 것에 대해 의심스럽게 생각함. 또는 그런 문제나 사실.
예 우리 주변에서 궁금한 것을 찾기 위해서는 잘 알고 있는 것도 의문을 갖고 "왜?"라는 질문을 해야 한다.

1주차 4회

과학 교과서 어휘

수록 교과서 과학 3-2
2. 동물의 생활

다음 중 낱말의 뜻을 잘못 알고 있는 것에 ✓하세요.

□동물 □동물도감 □사막 □확대경 □호숫가 □해엄치다

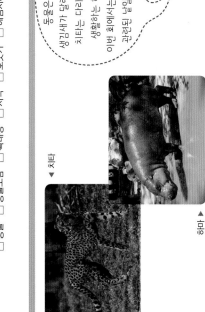

▲치타

▲하마

동물이 사는 곳에 따라 생김새가 달라. 땅에서 빨리 달리는 치타는 다리가 길어. 주로 물에서 생활하는 하마는 다리가 짧지. 이번 회에서는 동물들의 생활과 관련된 낱말들에 대해 알아보자.

✏ 낱말을 읽고, ▨부분에 알맞은 말을 그으면서 낱말 공부를 해 보세요.

이것만은 꼭!

동물
動 움직일 동 + 物 물건 물
→ 물(物)의 대표 뜻은 물건이야.
뜻 움직일 수 있으며 다른 생물로부터 영양을 얻어 살아가는 생물.
예 집 주변에서는 개나 고양이와 같은 동물을 볼 수 있다.
관련 어휘 **식물**
'식물'은 동물이나 나무처럼 스스로의 힘으로 움직일 수 없는 생물을 말해.

동물도감
動 움직일 동 + 物 물건 물 + 圖 그림 도 + 鑑 볼 감
→ 감(鑑)의 대표 뜻은 '거울'이야.
뜻 동물의 실제 모습을 그림이나 사진으로 볼 수 있도록 만든 책.
예 더 알아보고 싶은 동물의 특징을 동물도감에서 찾아보자.
관련 어휘 **도감**
도감은 동물이나 식물 등의 그림이나 사진을 모아서 실제 모습 대신에 볼 수 있도록 만든 책을 말해.

확대경
擴 넓힐 확 + 大 클 대 + 鏡 거울 경

뜻 물체를 실제 크기보다 크게 보기 위한 도구.
예 땅에 사는 작은 동물을 확대경으로 자세히 관찰해 보자.

사막
沙 모래 사 + 漠 사막 막
Tip 사막은 비가 1년에 250mm 이하로 내리는 지역으로, 식물뿐만 아니라 사람도 살기 어려운 곳이에요.
뜻 비가 적게 내려서 식물이 잘 자라지 못하는, 모래로 뒤덮인 땅.
예 사막은 물이 매우 적고 모래바람이 많이 분다.

이 사진에 나온 모래로 뒤덮인 땅이 사막이야.

호숫가
湖 호수 호 + 水 물 수 + 가
뜻 호수를 둘러싼 가장자리.
예 수달은 강이나 호숫가에 산다.

호숫가의 '가는' '주변의' 뜻을 나타내는 말이야. 호숫가처럼 '가'가 붙는 낱말에는 강가, 창가, 길가 등이 있어.

해엄치다
뜻 사람이나 물고기 등이 물속에서 나아가기 위해 팔다리나 지느러미를 움직이다.
예 연경이는 강에서 해엄치는 물을 보았다.

확인 문제

✏️ 30~31쪽에서 공부한 낱말을 떠올리며 문제를 풀어 보세요.

1 뜻에 알맞은 낱말을 빈칸에 쓰세요.

(1)
| 실 | 행 | 하 | 다 |
| 힘 | | | |

(2)
❷	기		
❶ 해	결	하	다
독	하	다	

2 낱말의 뜻에 맞게 ( ) 안에서 알맞은 말을 골라 ○표 하세요.

(1) 보충하다: 부족한 것을 보태어 (없애다. (채우다)).
(2) 의문: 어떤 것에 대해 (적정스럽게. (의심스럽게)) 생각함. 또는 그런 문제나 사실.

해설 | 보충하다는 부족한 것을 보태어 채우다. '의문'은 '어떤 것에 대해 의심스럽게 생각함. 또는 그런 문제나 사실.'을 뜻하는 낱말입니다.

3 안의 낱말과 뜻이 비슷한 낱말을 골라 ○표 하세요.

(1) 기록하다 ((쓰다). 풀다)
(2) 보충하다 (실시하다. (보완하다))

해설 | '기록하다'와 뜻이 비슷한 낱말은 '생각을 종이 등에 글로 나타내다.'라는 뜻을 가진 '쓰다'이고, '보충하다'와 뜻이 비슷한 낱말은 '모자라거나 부족한 것을 보충하여 완전하게 하다.'라는 뜻을 가진 '보완하다'입니다.

4 (1)~(3)에 들어갈 낱말을 완성하세요.

성준: 과학을 공부하면서 궁금했던 것들이 있어서 공책에 (1) 기 록 해 두었어.
재준: 그중에서 한 가지를 탐구 문제로 정한 뒤 그 문제를 (2) 해 결 하기 위해 계획을 세우자. 그리고 계획을 세우면서 부족한 점은 친구들에게 물어서 (3) 보 충 하자.

해설 | (1) 궁금했던 것들을 공책에 적어 두었다는 내용이므로 '기록'이 들어가야 합니다. (2) 문제를 풀어서 마무리하기 위해 계획을 세우자는 내용이므로, '해결'이 들어가야 합니다. (3) 부족한 점은 친구들에게 물어서 채우자는 내용이므로, '보충'이 들어가야 합니다.

✏️ 32~33쪽에서 공부한 낱말을 떠올리며 문제를 풀어 보세요.

5 낱말의 뜻을 보기 에서 찾아 사다리를 타고 내려간 곳에 기호를 쓰세요.

보기
㉠ 호수를 둘러싼 가장자리. – 호숫가
㉡ 물체를 실제 크기보다 크게 보기 위한 도구. – 확대경
㉢ 움직일 수 있으며 다른 생물로부터 영양을 얻어 살아가는 생물. – 동물
㉣ 사람이나 물고기 등이 물속에서 나아가기 위해 팔다리나 지느러미를 움직이다. – 헤엄치다

| 동물 | 헤엄치다 | 확대경 | 호숫가 |

해설 | ㉢은 '동물'가, ㉡은 '확대경', ㉠은 '헤엄치다'의 뜻입니다.

6 낱말의 뜻에 맞게 빈칸에 들어갈 말을 완성하세요.

(1) 사막 : 비가 적게 내려서 식물이 잘 자라지 못하는, 모 래 로 뒤덮인 땅.

(2) 동물도감 : 동물의 실제 모습을 그 림 이나 사 진 으로 볼 수 있도록 만든 책.

해설 | '사막'은 비가 적게 내려서 식물이 잘 자라지 못하는, 모래로 뒤덮인 땅이고, '동물도감'은 동물의 실제 모습을 그림이나 사진으로 볼 수 있도록 만든 책입니다.

7 밑줄 친 낱말을 바르게 사용하지 못한 친구의 이름을 쓰세요.

지민: 강이나 호숫가에는 개구리가 많고 물들을 오가며 살아.
인후: 나비, 잠자리와 같은 곤충은 날개가 있어 헤엄치며 볼 수 있어.
항규: 맨눈으로 잘 보이지 않는 부분은 확대경을 사용하면 자세하게 볼 수 있어.

(인후)

해설 | 인후는 "나비, 잠자리와 같은 곤충은 날개가 있어 날아다닐 수 있어."라고 말해야 합니다.

一 (일)이 들어간 낱말

'一(일)'이 들어간 낱말을 읽고, ▨부분에 말풍을 그으면서 낱말 공부를 해 보세요.

하나 일
一

'일(一)'은 막대기를 옆으로 놓아 놓은 모습을 본떠 만든 글자야. 옛날에 막대기를 하나 놓아서 숫자 하나를 표시한 것에서 '하나'라는 뜻을 갖게 되었어. '일(一)'은 '모든'이라는 뜻도 갖고 있어.

一석이조 · 一회용 · 一제 · 一임

하나 一

일석이조
一하나 일 + 石돌 석 + 二두 이 + 鳥새 조
뜻 돌 한 개를 던져 새 두 마리를 잡는다는 뜻으로, 동시에 두 가지 이익을 얻음.
예 운동을 하면 살도 빠지고 몸도 건강해지니 일석이조이다.

일회용
一하나 일 + 回횟수 회 + 用쓸 용
→ 회(回)의 대표 뜻은 '돌아오다'이야.
뜻 한 번만 쓰고 버리는 것.
예 일회용 제품의 사용을 줄이자.
관련 어휘 다회용
'다회용'은 여러 번 쓰고 버리는 것을 말해.

모든 一

일체
一모든 일 + 切온통 체
뜻 모든 것.
예 할아버지께서는 재산 일체를 보육원에 기부하셨다.

일임
一모든 일 + 任맡길 임
뜻 모두 맡김.
예 할머니께서는 자녀부터 뒷밭 일을 일음 아빠에게 일임하셨다.

1주차 한자 어휘 5회
自 (자)가 들어간 낱말

'自(자)'가 들어간 낱말을 읽고, ▨부분에 말풍을 그으면서 낱말 공부를 해 보세요.

스스로 자
自

'자(自)'는 사람의 코를 본떠 만든 글자야. 사람들이 자신을 가리킬 때 손가락이 코를 향하면서 '자(自)'가 '스스로'라는 뜻을 갖게 되었지. '자(自)'는 '저절로'라는 뜻도 갖고 있어.

Tip 자(自)가 '스스로'라는 뜻으로 쓰인 한자 성어에는 '자신만이' 또 있어요. 자신만은 아주 자신이 있음을 뜻하는 말이에요.

自문자답 · 自동 · 自명종 · 自정

스스로 自

자문자답
自스스로 자 + 問물을 문 + 自스스로 자 + 答대답 답
뜻 스스로 묻고 스스로 대답함.
예 고민이 있을 때 자문자답을 하면 해결 방법을 찾을 수도 있다.

자동
自스스로 자 + 動움직일 동
뜻 기계가 스스로 움직이는 것.
예 이 에어컨은 자동으로 온도를 조절한다.
반대말 수동
'수동'은 사람이 손의 힘만으로 움직이는 것을 하는 낱말이야.

저절로 自

자명종
自저절로 자 + 鳴울 명 + 鐘시계 종
→ 종(鐘)의 대표 뜻은 '쇠북'이야.
뜻 미리 정해 놓은 때가 되면 저절로 소리를 내는 시계.
예 아침 일곱 시가 되자 자명종이 울렸다.

자정
自저절로 자 + 淨깨끗할 정
뜻 오염된 물이나 땅이 저절로 깨끗해짐.
예 물은 자정 능력을 갖고 있어서 어느 정도 시간이 지나면 저절로 깨끗해진다.

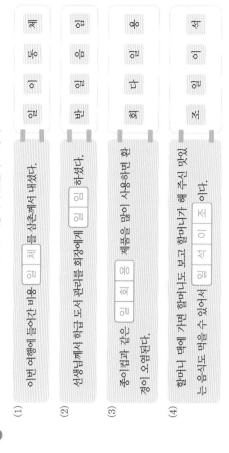

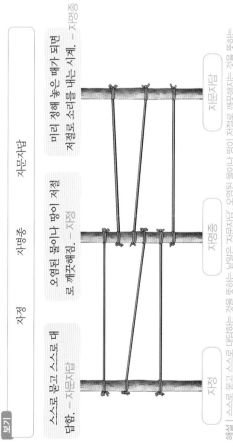

확인 문제

✎ 36쪽에서 공부한 낱말을 떠올리며 문제를 풀어 보세요.

1 뜻에 알맞은 낱말을 보기에서 찾아 사다리를 타고 내려간 곳에 쓰세요.

보기 자정 자명종 자문자답

- 스스로 묻고 스스로 대답함. —자문자답
- 오염된 물이나 땅이 저절로 깨끗해짐. —자정
- 미리 정해 놓은 때가 되면 저절로 소리를 내는 시계. —자명종

자문자답 자명종 자정

해설 | 스스로 묻고 스스로 대답하는 것을 뜻하는 낱말은 '자문자답', 오염된 물이나 땅이 저절로 깨끗해지는 것을 뜻하는 낱말은 '자정', 미리 정해 놓은 때가 되면 저절로 소리를 내는 시계를 뜻하는 낱말은 '자명종'입니다.

2 다음 뜻을 가진 낱말을 찾아 선으로 이으세요.

(1) 기계가 스스로 움직이는 것. — 수동
(2) 사람이 손의 힘만으로 움직이는 것. — 자동

수동
자동

해설 | 기계가 스스로 움직이는 것을 뜻하는 낱말은 '자동', 사람이 손의 힘만으로 움직이는 것을 뜻하는 낱말은 '수동'입니다.

3 ( ) 안에 들어갈 알맞은 낱말을 보기에서 찾아 쓰세요.

보기 자정 자동 자명종

(1) 일곱 시에 울리도록 (자명종)을 맞춰 놓았다.
(2) 이 카메라는 (자동)으로 거리를 조절해 준다.
(3) 물속의 오염 물질이 계속 쌓이면 (자정) 능력이 사라져 저절로 깨끗해질 수 없다.

해설 | (1) 일곱 시에 울리도록 맞춰 놓았다는 내용으로 보아 '자명종'이 들어가야 합니다. (2) 카메라가 스스로 거리를 조절해 준다는 내용으로 보아 '자동'이 들어가야 합니다. (3) 저절로 깨끗해질 수 없다는 내용으로 보아 '자정'이 들어가야 합니다.

✎ 37쪽에서 공부한 낱말을 떠올리며 문제를 풀어 보세요.

4 뜻에 알맞은 낱말을 보기에서 찾아 쓰세요.

보기 일임 일회용 일석이조

(1) (일임): 모두 맡김.
(2) (일회용): 한 번만 쓰고 버리는 것.
(3) (일석이조): 돌 한 개를 던져 새 두 마리를 잡는다는 뜻으로, 동시에 두 가지 이익을 얻음.

해설 | 모두 맡기는 것을 뜻하는 낱말은 '일임'입니다. (2) 한 번만 쓰고 버리는 것을 뜻하는 낱말은 '일회용'입니다. (3) 동시에 두 가지 이익을 얻는 것을 뜻하는 낱말은 '일석이조'입니다.

5 밑줄 친 '일'의 뜻으로 알맞은 것을 골라 ○표 하세요.

(1) 일회용 [하나 모든]
(2) 일제 [하나 모든]

해설 | '일회용'은 한 번만 쓰고 버리는 것, '일제'는 모든 것이란 뜻이 담긴 말입니다.

6 빈칸에 들어갈 알맞은 낱말은 낱말을 글자 카드를 이용하여 만들어 쓰세요.

일 이 동 제
반 일 임 음
회 일 용
조 일 이 석

(1) 이번 여행에 들어간 비용 일제 를 삼촌께서 내셨다.
(2) 선생님께서 하급 도서 관리를 회장에게 일임 하셨다.
(3) 종이컵과 같은 일회용 제품을 많이 사용하면 환경이 오염된다.
(4) 할머니 댁에 가면 할머니가 보고 싶어 한 마디도 보고 맛있는 음식도 먹을 수 있어서 일석이조 이다.

해설 | (1) 비용 전부를 삼촌께서 내셨다는 내용으로, '일제'가 들어가야 합니다. (2) 하급 도서 관리를 회장에게 모두 맡긴다는 내용으로 '일임'이 들어가야 합니다. (3) 한 번만 쓰고 버리는 제품을 많이 사용하면 환경이 오염된다는 내용으로 '일회용'이 들어가야 합니다. (4) 할머니 댁에 가면 두 가지 이익을 얻을 수 있는 일이므로 '일석이조'가 들어가야 합니다.

1주차 어휘력 테스트

1주차 1~5회에서 공부한 낱말을 떠올리며 문제를 풀어 보세요.

[낱말 뜻]
1 낱말과 그 뜻이 바르게 짝 지어진 것을 두 가지 고르세요. (③, ④)
① 해결하다 – 부족한 것을 보태어 채우다.
② 몸짓 – 생각이나 기분 등이 얼굴에 드러남.
③ 세로 – 위에서 아래로 이어지는 방향이나 길이.
④ 이문 – 어떤 것에 대해 의심스럽게 생각함. 또는 그런 문제나 사실.
⑤ 숙박 시설 – 스스로 즐거움을 얻기 위해 남는 시간에 하는 자유로운 활동.

[해설] '해결하다'는 "어려운 일이나 문제를 풀어서 마무리하다.", '숙박 시설'은 관광객, 여행객이 잠을 자고 머물 수 있도록 만든 시설을 뜻하는 낱말이에요.

[낱말 뜻]
2~3 낱말의 뜻에 맞게 빈칸에 들어갈 알맞은 말을 쓰세요.

2 의식주 | 사람이 살아가는 데 필요한 [옷], 음식, 집을 모두 이르는 말.
[해설] '의식주'는 사람이 살아가는 데 필요한 옷, 음식, 집을 모두 이르는 말입니다.

3 수칙 | 행동이나 순서에 대해 지켜야 할 점을 정한 [규] 칙.
[해설] '수칙'은 행동이나 순서에 대해 지켜야 할 점을 정한 규칙을 뜻하는 낱말입니다.

[반대말]
4 반대말끼리 짝 지어진 것에 ○표 하세요.
(1) 자동 – 수동 (○) (2) 몸짓 – 동작 ( )
(3) 해결하다 – 풀다 ( ) (4) 실행하다 – 실시하다 ( )
[해설] (2)~(4)는 비슷한말끼리 짝 지어진 것입니다.

[뜻을 더해 주는 말]
5 빈칸에 공통으로 들어갈 말은 무엇인가요? (④)
매표□ 조선□ 무궁□ □소 □집
① 개 ② 군 ③ 보 ④ 소 ⑤ 질
[해설] 빈칸에 공통으로 들어갈 같은 소리의 뜻을 더해 주는 말인 '-소'입니다.

[여러 가지 뜻을 가진 낱말]
6 빈칸에 공통으로 들어갈 알맞은 낱말은 무엇인가요? (②)
• 할아버지께서는 □(으)로 낫단을 꽁꽁 묶으셨다.
• 밧줄 공연을 보려는 사람들이 입구에 두 □(으)로 길게 서 있었다.
① 열 ② 줄 ③ 쟁
④ 자루 ⑤ 나뭇가지
[해설] 첫 번째 문장에는 어떤 것을 묶거나 매는 데 쓰는 기늘고 긴 물건이라는 뜻을 가진 '줄'이 들어가야 합니다.

[한자 성어]
7 다음 친구의 말과 어울리는 낱말을 골라 ○표 하세요.
(1) (말풍선) 이 책은 혼잣말에도 도움이 되고 제로 되니 좋아!
(자문자답 , **일석이조**)
(2) (말풍선) 책을 읽고 책의 내용을 스스로 묻고 대답해 스스로 대답해 봐!
(**자문자답** , 일석이조)
[해설] (1) 책이 주는 두 가지 이익에 대해 말하고 있으므로, 일석이조가 어울립니다. (2) 책의 내용을 스스로 묻고 스스로 대답도 했다는 뜻에는 '자문자답'이 어울립니다.

[낱말 활용]
8~10 ( ) 안에 들어갈 알맞은 낱말을 <보기>에서 찾아 쓰세요.
<보기> 나누면 관련된 기록해 두었다

8 여행하면서 느낀 점을 공책에 (기록해) 두었다.
[해설] 여행하면서 느낀 점을 공책에 적어 두었다는 내용으로 '기록해'가 들어가기에 알맞습니다.

9 124를 3으로 (나누면) 몫은 41이고, 나머지는 1이다.
[해설] 124를 3으로 나눗셈을 하면 몫이 41이고 나머지는 10이라는 내용으로, '나누면'이 들어가기에 알맞습니다.

10 '호박이 넝쿨째로 굴러떨어졌다', '작은 고추가 더 맵다'는 제소와 (관련된) 속담이다.
[해설] 두 속담 모두 제소와 관계를 맺고 있다는 내용으로 '관련된'이 들어가기에 알맞습니다.

어휘가
문해력
이다

초등 3학년 2학기

2주차 정답과 해설

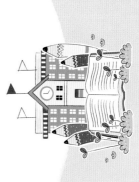

1회 국어 교과서 어휘

수록 교과서 국어 3-2 ㉮
3. 자신의 경험을 글로 써요

다음 중 낱말의 뜻을 잘 알고 있는 것에 ✓하세요.

□ 인상 □ 띄어쓰기 □ 구체적 □ 점검하다 □ 소식지

낱말을 읽고, ___ 부분에 알맞은 내용을 그려면서 낱말 공부를 해 보세요.

이것만은 꼭!

인상 印象 (印 도장 인 + 象 형상 상)
·印(인)의 대표 뜻은 '도장' '생각', 象(상)의 대표 뜻은 '코끼리'야.

- **뜻** 대상이 주는 느낌.
- **예** 겪었던 일 중에서 인상 깊은 일을 떠올리기 위해서는 특별하게 느껴진 일이 무엇인지 생각해 본다.
- **글자는 같지만 뜻이 다른 낱말 | 인상**
  '인상'은 물건값이나 월급, 요금 등등을 올리는 것이라는 전혀 다른 뜻도 있어.
- **예** 전기 요금 인상을 내년으로 미루었다.

띄어쓰기

- **Tip** 띄어쓰기는 내용을 이해를 쉽게 하고 정확한 뜻을 전달하기 위하여 낱말과 낱말 사이를 띄어 쓰는 것을 말해요.
- **뜻** 글을 쓸 때 낱말 사이를 띄어서 쓰는 일.
- **예** "주희이가"는 그림그림한 얼굴로 말했다. "에서 '주희이가'와 '눈물이' 사이는 띄어쓰기를 해야 한다.
  주희이가∨눈물이 그림그림한 얼굴로 말했다.

되돌아보다

- **뜻** 지난 일을 다시 생각해 보다.
- **예** 기억에 남는 일을 정리하면 자신이 한 일을 되돌아볼 수 있다.
- **뜻을 더해 주는 말 | '되-'**
  '되-'는 '다시'의 뜻을 더해 주는 말이야. '되돌아보다'처럼 '되-'가 붙어서 만들어진 낱말에는 '되묻다', '되살아나다', '되감다' 등이 있어.
  · 되묻다: 같은 질문을 다시 하다.
  · 되살아나다: 다시 살아나다.
  · 되감다: 원래대로 감거나 다시 감다.

정답과 해설 ▶ 18쪽

구체적 具體的
具 갖출 구 + 體 형상 체 + 的 ~한 상태로 되는 적
·體(체)의 대표 뜻은 '몸' '꼴', 的(적)의 대표 뜻은 '과녁'이야.

- **뜻** 자세하거나 분명한 것.
- **예** 기억에 남는 일에 대해 언제, 어디에서, 어떤 일이 있었는지 구체적으로 표현하였다.

점검하다 點檢-
點 점찍을 점 + 檢 검사할 검 하다
·點(점)의 대표 뜻은 '점'이야.

- **뜻** 하나하나 다 검사하다.
- **예** 내가 쓴 글을 다시 읽고 띄어쓰기를 바르게 했는지 점검해 보았다.
- **비슷한말** 검사하다
  '검사하다'는 "일이나 대상을 조사하여 옳고 그름이나 좋고 나쁨을 알아낸다."라는 뜻이야.
- **예** 병원에서 시력을 검사했다.

소식지 消息紙
消 소식 소 + 息 생활할 식 + 紙 종이 지
·消(소)의 대표 뜻은 '사라지다', 息(식)의 대표 뜻은 '숨쉬다'야.

- **뜻** 단체의 새로운 소식을 알리는 종이.
- **예** 우리 반 소식지에 1학기에 열린 독서 전시가 전학 온 것 등이 실렸다.

꼭! 알아야 할 속담

'귀가 세가 되다.' '낮말은 새가 듣고 밤말은 쥐가 듣는다.'는 아무도 안 듣는 데서라도 말조심해야 한다는 뜻이 담겨 있습니다.

○표 하기 ·'(말이 세가 되다. (낮말은 새가 듣고 밤말은 쥐가 듣는다.))는 아무도 안 듣는 데서라도 말조심해야 한다는 뜻의 말이다.

국어 교과서 어휘

수록 교과서 국어 3-2 ㉮
4. 감동을 나타내요

다음 중 낱말의 뜻을 잘 알고 있는 것에 ✓ 하세요.

□ 생생하다　□ 둥그스름하다　□ 움지락거리다　□ 빗대다　□ 까무룩　□ 금질금질

✎ 낱말을 읽고, 부분에 밑줄을 그으면서 낱말 공부를 해 보세요.

생생하다

이것만은 꼭!

뜻 바로 눈앞에 보는 것처럼 분명하다.

예 시에 '또르르'이라는 말이 들어가니까 감기 걸린 모습이 더 생생하게 느껴진다.

비슷한말 **선명하다**

'선명하다'는 "뚜렷하고 분명하다."라는 뜻이야.

예 어린 시절의 기억이 선명하게 떠오른다.

둥그스름하다

뜻 약간 둥글다.

예 복숭아가 공처럼 둥그스름하다.

'둥그스름하다'보다 느낌이 센 말은 '뚱그스름하다'야.

움지락거리다

뜻 작은 것이 느릿느릿 자주 움직이다.

예 발가락이 움지락거린다는 표현을 읽으니 발가락이 느릿느릿 자주 움직이는 모습이 떠오른다.

'움지락거리다'와 '움지럭거리다'는 뜻이 같은 말이야.

정답과 해설 ▶ 19쪽

빗대다

뜻 곧바로 말하지 않고 빙 둘러서 말하다.

예 '고슴도치처럼 따가운 밤송이는 밤송이를 고슴도치에 빗대어 표현한 것이다.

까무룩

뜻 정신이 갑자기 흐려지는 모양.

예 '까무룩'이라는 표현이 졸린 상태를 잘 나타내 준다.

금질금질

뜻 몸을 계속 천천히 느리게 움직이는 모양.

예 우렁이가 금질금질 자리에서 움직였다.

'금질금질'은 '금지럭금지럭'의 준말이야.

꼭! 알아야 할 관용어

빈칸 채우기

[　손　] 에 땀을 쥐다는 아슬아슬하여 마음이 조마조마하다는 뜻입니다.

✏️ 46~47쪽에서 공부한 낱말을 떠올리며 문제를 풀어 보세요.

4 뜻에 알맞은 낱말을 보기에서 찾아 사다리를 타고 내려간 곳에 쓰세요.

보기

움지락거리다	궁싯궁싯	까무룩	빗대다

- 정신이 갑자기 흐려지는 모양. – 까무룩
- 작은 것이 느리게 자꾸 움직이다. – 움지락거리다
- 몸을 계속 천천히 느리게 움직이는 모양. – 궁싯궁싯
- 곧바로 말하지 않고 빙 둘러서 말하다. – 빗대다

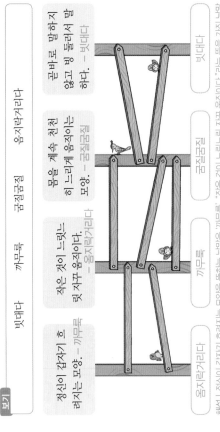

움지락거리다	까무룩	궁싯궁싯	빗대다

해설 | 정신이 갑자기 흐려지는 모양을 뜻하는 낱말은 '까무룩', '작은 것이 느렸느닷 자꾸 움직이다.'라는 뜻을 가진 낱말은 '움지락거리다', 몸을 계속 천천히 느리게 움직이는 모양을 뜻하는 낱말은 '궁싯궁싯', '곧바로 말하지 않고 빙 둘러서 말하다.'라는 뜻을 가진 낱말은 '빗대다'입니다.

5 다음과 같은 뜻을 가진 낱말을 골라 ○표 하세요.

(1) 약간 둥글다. [가무스름하다 / **둥그스름하다**]

(2) 바로 눈앞에 보는 것처럼 분명하고 또렷하다. [발생하다 / **생생하다**]

해설 | '약간 둥글다.'라는 뜻을 가진 낱말은 '둥그스름하다'이고, '바로 눈앞에 보는 것처럼 분명하고 또렷하다.'라는 뜻을 가진 낱말은 '생생하다'입니다.

6 밑줄 친 낱말을 바르게 사용하지 못한 친구의 이름을 쓰세요.

> 세희: 아기 얼굴이 둥그스름하네.
> 건호: 도로는 정말을 보자마자 궁싯궁싯 도망갔어.
> 유찬: 이제 너무 피곤해서 눈가마저 가무룩 잠이 들었어.
> 윤후: '비꼬다'보다는 표현을 넣으니 공이 굴러가는 모습이 더 생생하게 느껴져.

(건호)

해설 | 궁싯궁싯은 몸을 계속 천천히 느리게 움직이는 모양을 뜻하는 낱말이므로, 도둑이 궁싯궁싯 도망갔다는 표현은 어색합니다. 건호는 도둑은 보자마자 힐레벌떡 도망갔어.'의 같이 문제야 합니다.

🧩 **확인 문제**

✏️ 44~45쪽에서 공부한 낱말을 떠올리며 문제를 풀어 보세요.

1 다음 뜻을 가진 낱말을 완성하세요.

(1) 대상이 주는 느낌. → 인 상

(2) 자세하거나 분명한 것. → 구 체 지

(3) 단체의 새로운 소식을 알리는 종이. → 소 식 지

(4) 하나하나 다 검사하다. → 점 검 하 다

(5) 글을 쓸 때 낱말 사이를 띄어서 쓰는 일. → 띄 어 쓰 기

해설 | (1) 대상이 주는 느낌을 뜻하는 낱말은 '인상'입니다. (2) 자세하거나 분명한 것을 뜻하는 낱말은 '구체적'입니다. (3) 단체의 새로운 소식을 알리는 종이를 뜻하는 낱말은 '소식지'입니다. (4) '하나하나 다 검사하다.'라는 뜻의 낱말은 '점검하다'입니다. (5) 글을 쓸 때 낱말 사이를 띄어서 쓰는 일을 뜻하는 낱말은 '띄어쓰기'입니다.

2 빈칸에 공통으로 들어갈 알맞은 낱말을 쓰세요.

- 도섬이나다: 삼아나다.
- 도묻다: 같은 질문을 ___ 하다.
- 도돌아보다: 지난 일을 ___ 생각해 보다.

(다시)

해설 | '도섬이나다', '도묻다', '도돌아보다'에 쓰인 '도-'는 '다시'의 뜻을 더해 주는 말입니다.

3 밑줄 친 낱말을 바르게 사용하지 못한 친구의 이름을 쓰세요.

> 윤서: 인상 깊은 일을 구체적으로 정리하며 일어난 일을 쓰고 있어.
> 준서: 친구가 쓴 글을 읽고 이어던 일을 자세히 썼는지 인상해 보았어.
> 주원: 모든 친구들은 모두 각자 마음 사건을 글과 그림으로 표현한 뒤 하나로 모아 모둠별 소식지를 만들었어.

(준서)

해설 | 준서는 '친구가 쓴 글을 읽고 이어던 일을 자세히 썼는지 점검해 보았어.'라고 말해야 합니다.

주먹도끼

- **Tip** 주먹도끼는 동물을 사냥하거나 동물의 가죽을 벗길 때 사용한 도구예요.
- **뜻** 주먹에 쥐고 쓸 수 있도록 돌의 둘레를 깨뜨려 만든 도구.
- **예** 주먹도끼는 돌을 깨뜨려 만들었다.

유적지
遺 남길 유 + 跡 발자취 적 + 地 땅 지

- **뜻** 옛사람이 남긴 건축물이나 무덤 등이 있거나 역사적 사건이 일어났던 장소.
- **예** 우리나라에는 조상들이 남긴 유적지가 많이 있다.

토기
土 흙 토 + 器 그릇 기

- **뜻** 옛날에 쓰던 흙으로 만든 그릇.
- **예** 옛날 사람들은 토기에 음식을 담았다.

(이것까지 알면 척척!) 이전까지 옛날 사람들이 음식을 담을 때 사용한 빗살무늬 토기야!

반달 돌칼
半 반 반 + 달 + 돌칼

- **Tip** 이삭은 곡식에서 꽃이 피고 열매가 달리는 부분을 뜻하는 말이에요.
- **뜻** 옛날에 이삭을 따거나 곡식을 베는 데에 쓰던 반달 모양의 도구.
- **예** 옛날 사람들은 농사를 지을 때 반달 돌칼을 사용했다.

2주차 2회
사회 교과서 어휘

수록 교과서 사회 3-2
2. 시대마다 다른 삶의 모습

다음 중 낱말의 뜻을 잘 알고 있는 것에 ✓ 하세요.

□ 생활 도구 □ 청동 □ 주먹도끼 □ 유적지 □ 토기 □ 반달 돌칼

옛날 사람들은 자연에서 얻은 돌이나 나무, 동물 뼈 등으로 도구를 만들어 사용했대. 옛날 사람들이 생활할 때 사용했던 도구와 관련된 낱말을 배워 보자.

낱말을 읽고, 부분에 밑줄을 그으면서 낱말 공부를 해 보세요.

생활 도구
生 날 생 + 活 살 활 + 道 길 도 + 具 갖출 구
'생(生)'의 대표 뜻은 '나다', '도(道)'의 대표 뜻은 '길', '구(具)'의 대표 뜻은 '갖추다'이다.

이것만은 꼭!

- **뜻** 사람들이 생활하는 데 필요한 여러 가지 물건.
- **예** 옛날 사람들은 돌이나 나무로 생활 도구를 만들어 사용했다.

관련 어휘 **도구**
'도구'는 어떤 일을 할 때 쓰는 기구를 말해.

청동
青 푸를 청 + 銅 구리 동

- **뜻** 구리와 주석을 섞어 단단하게 만든 금속.
- **예** 청동은 귀하고 다루기 어려워서 무기나 장신구, 제사를 지내는 도구를 만드는 데 주로 쓰였다.

관련 어휘 **구리, 주석**
'구리'는 잘 늘어나고 잘 구부러지는 붉은 금속을 말하고, '주석'은 단단하지 않고 은빛이 나는 금속을 말해.

사회 교과서 어휘

정답과 해설 ▶ 22쪽

수록 교과서 사회 3-2
2. 시대마다 다른 삶의 모습

다음 중 낱말의 뜻을 잘 알고 있는 것에 ✓ 하세요.

□ 탈곡기 □ 시루 □ 가락바퀴 □ 베틀 □ 움집 □ 온돌

옛날 사람들이 음식이나 옷을 만들 때 어떤 도구들을 사용했을까? 또 옛날 사람들은 어떤 집에 살았을까? 오늘 배울 낱말들을 통해 알아보자.

낱말을 읽고, 부분에 알맞은 낱말을 그으면서 낱말 공부를 해 보세요.

탈곡기
脫 벗을 탈 + 穀 곡식 곡 + 機 틀 기
뜻 벼, 보리 등이 이삭에서 낟알을 떨어내는 데 쓰는 기계.
예 탈곡기와 같은 농기계를 사용하면서 더 많은 양의 곡식을 얻을 수 있게 되었다.

시루
뜻 떡이나 쌀 등을 찌는 데 쓰며 바닥에 구멍이 여러 개 뚫려 있는 둥글고 넓적한 그릇.
예 옛날 사람들은 시루에 생선이나 떡을 쪄서 먹었다.

Tip '가락'은 실을 만드는 도구를 말해요.

가락바퀴
뜻 옛날에 실을 만들 때 사용하던 도구.
예 옛날 사람들은 가락바퀴로 식물의 줄기를 꼬아서 실을 만들었다.

베틀
뜻 실로 옷감을 짜는 데 쓰는 틀.
예 옛날 사람들은 식물에서 얻은 실을 옷감으로 만들 때 베틀을 사용했다.

이것만은 꼭!

움집
뜻 땅을 파서 기둥을 세우고 풀과 짚을 덮어 만든 집.
예 움집은 주로 풀이나 짚, 갈대 등을 사용해 만들었다.
관련 어휘 귀틀집
'귀틀집'은 통나무를 네모 모양으로 쌓고 그 이에 진흙을 바른 집을 말해.
▲ 움집

Tip '온돌'은 방바닥 아래에 넓은 돌구들장을 여러 개 놓고 이 돌을 따뜻하게 데우는 장치예요.

온돌
溫 따뜻할 온 + 埃 굴뚝 돌
뜻 아궁이에 불을 때어 열이 방 밑을 지나 방바닥 전체를 덥히는 장치.
예 우리 조상은 온돌을 사용해 추운 겨울을 따뜻하게 보냈다.
관련 어휘 아궁이
'아궁이'는 방이나 솥 등에 불을 때기 위해 만든 구멍을 말해.

확인 문제

✏ 50~51쪽에서 공부한 낱말을 떠올리며 문제를 풀어 보세요.

1 낱말의 뜻을 보기 에서 찾아 사다리를 타고 내려간 곳에 기호를 쓰세요.

보기   청동   토기   유적지   반달돌칼

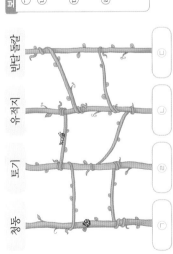

보기
㉠ 옛날에 쓰던 흙으로 만든 그릇. - 토기
㉡ 구리와 주석을 섞어 단단하게 만든 금속. - 청동
㉢ 옛날에 이삭을 따거나 곡식을 베는 데에 쓰던 반달 모양의 도구. - 반달돌칼
㉣ 옛사람이 남긴 건축물이나 무덤 등이 있거나 역사적 사건이 일어났던 장소. - 유적지

해설 | 청동은 구리와 주석을 섞어 단단하게 만든 금속, '도기'는 옛날에 쓰던 흙으로 만든 그릇, '유적지'는 옛사람이 남긴 건축물이나 무덤 등이 있거나 역사적 사건이 일어났던 장소, '반달 돌칼'은 옛날에 이삭을 따거나 곡식을 베는 데에 쓰던 반달 모양의 도구를 뜻합니다.

2 다음 뜻을 가진 말은 무엇인지 쓰세요.

사람들이 생활하는 데 필요한 여러 가지 물건.

| 생 | 활 | 도 | 구 |

해설 | 사람들이 생활하는 데 필요한 여러 가지 물건을 뜻하는 말은 생활 도구입니다.

3 낱말의 뜻에 맞게 ( ) 안에서 알맞은 말을 골라 ○표 하세요.

(1) 도구: 어떤 일을 할 때 쓰는 (기구, 기술).
(2) 주먹도끼: 주먹에 쥐고 쓸 수 있도록 (돌, 쇠)로 만든 옛날 도구.

해설 | '도구'는 어떤 일을 할 때 쓰는 기구, '주먹도끼'는 주먹에 쥐고 쓸 수 있도록 돌로 만든 옛날 도구를 뜻하는 생활 도구입니다.

4 ( ) 안에 들어갈 알맞은 낱말을 보기 에서 찾아 쓰세요.

보기   청동   유적지   생활 도구

(1) 옛날 사람들의 생활 모습을 엿볼 수 있는 곳인 (유적지)음/를 찾아갔다.
(2) (청동)(으)로 만든 물건에는 청동 검, 청동 거울, 청동 방울 등이 있다.
(3) 옛날 사람들이 사용하던 (생활 도구)에는 흙으로 만든 그릇, 돌로 만든 낚시 도구 등이 있다.

해설 | (1) 옛날 사람들의 생활 모습을 엿볼 수 있는 장소이므로 유적지가 들어가야 합니다. (2) 청동 검, 청동 거울, 청동 방울 등은 청동으로 만든 물건이므로 청동이 들어가야 합니다. (3) 흙으로 만든 그릇, 돌로 만든 낚시 도구 등은 생활하는 데 사용하는 여러 가지 물건을 설명하는 내용이므로, 생활 도구가 들어가야 합니다.

✏ 52~53쪽에서 공부한 낱말을 떠올리며 문제를 풀어 보세요.

5 뜻에 알맞은 낱말을 보기 에서 찾아 쓰세요.

보기   온돌   움집   귀틀집   가락바퀴

(1) (가락바퀴): 옛날에 실을 만들 때 사용하던 도구.
(2) (움집): 땅을 파서 기둥을 세우고 풀과 짚을 덮어 만든 집.
(3) (귀틀집): 통나무를 네모 모양으로 쌓고 그 틈을 진흙을 바른 집.
(4) (온돌): 아궁이에 불을 때어 열이 방 밑을 지나 방바닥 전체를 덥히는 장치.

해설 | (1) 옛날에 실을 만들 때 사용하던 도구를 뜻하는 낱말은 가락바퀴입니다. (2) 땅을 파서 기둥을 세우고 풀과 짚을 덮어 만든 집을 뜻하는 낱말은 움집입니다. (3) 통나무를 네모 모양으로 쌓고 그 사이에 진흙을 바른 집을 뜻하는 낱말은 귀틀집입니다. (4) 아궁이에 불을 때어 열이 방 밑을 지나 방바닥 전체를 덥히는 장치를 뜻하는 낱말은 온돌입니다.

6 두 친구가 설명하는 '이것'은 무엇인지 쓰세요.

수현: 이것은 바닥에 구멍이 여러 개 뚫려 있는 둥글고 넓적한 그릇을 뜻하는 낱말이야.
재성: 옛날 사람들은 이것을 곡식이나 쌀 등을 찔 때 이용했어.

(시루)

해설 | 떡이나 쌀 등을 찌는 데 쓰며 바닥에 구멍이 여러 개 뚫려 있는 둥글고 넓적한 그릇을 뜻하는 낱말은 시루입니다.

7 빈칸에 들어갈 알맞은 낱말을 글자 카드를 이용하여 만들어 쓰세요.

탈 곡 갈 기
루 틀 시 베
기 온 돌
움 귀 집 틀

(1) 오늘날에는 농사를 지을 때 [탈 곡 기]를 사용한다.
(2) 옛날 사람들은 [베 틀]에 실을 오르락내리락 서로 엮어서 옷감을 만들었다.
(3) [온 돌]은 아궁이에서 나오는 열을 사용하기 때문에 열에너지를 아낄 수 있다.
(4) 옛날 사람들은 농사지을 수 있는 곳 가까이에 모여 맞은 [움 집]을 짓고 살았다.

해설 | (1) 오늘날 농사를 지을 때 사용하는 것이므로, 탈곡기가 들어가야 합니다. (2) 옷감을 만들었다고 하였으므로, '베틀'이 들어가야 합니다. (3) 이궁이에서 나오는 열을 사용했으므로, '온돌'이 들어가야 합니다. (4) 옛날 사람들이 농사지을 수 있는 곳에 모여 맞은 집을 뜻하는 낱말이므로 움집이 들어가야 합니다.

이것만은 꼭!

지름
- 뜻 원 위의 두 점을 이으면서 원의 중심을 지나는 선분.
- 예 연필을 둘로 똑같이 나누는 선분이 지름이다.

컴퍼스
- 뜻 폈다 오므렸다 할 수 있는 두 다리를 이용해 원을 그리는 데 사용하는 기구.
- 예 컴퍼스를 이용하여 원을 그려 보자.

굴렁쇠
- 뜻 아이들이 막대로 굴리면서 노는 쇠나 대나무로 만든 둥근 모양의 장난감.
- 예 굴렁쇠의 반지름을 자로 재어 크기가 같은 원을 그렸다.

트랙
- Tip 경마장은 경마(일정한 거리를 말을 타고 달려 빠르기를 겨루는 경기)를 할 수 있는 시설을 갖추어 놓은 곳이에요.
- 뜻 육상 경기장이나 경마장에서 사람이나 말이 달리는 길.
- 예 달리기 트랙 모양은 원과 선분으로 이루어져 있다.

2주차 3회

수학 교과서 어휘

수록 교과서 수학 3-2
3. 원

다음 중 낱말의 뜻을 잘 알고 있는 것에 ✓하세요.

□ 원의 중심 □ 반지름 □ 지름 □ 컴퍼스 □ 굴렁쇠 □ 트랙

그림에 있는 굴렁쇠, 벽시계, 훌라후프의 공통점이 뭔지 아니? 맞아, 모두 원 모양이야. 오늘은 원과 관계있는 낱말들에 대해 배워 볼 거야.

낱말을 읽고, ▨ 부분에 알맞은 글씨를 그으면서 낱말 공부를 해 보세요.

원의 중심
圓둥글 원 + 의 + 中가운데 중 + 心마음 심
- 뜻 원을 그릴 때에 누름 못이 꽂혔던 점.
- 예 원 모양 종이를 둘로 똑같이 나누어지도록 접었을 때 생기는 선분들이 만나는 점이 원의 중심이다.

관련 어휘 **원**
'원'은 평면 위의 한 점에서 일정한 거리에 있는 점들을 모두 이은 곡선을 말해.

반지름
半반 반 + 지름
- 뜻 원의 중심과 원 위의 한 점을 이은 선분.
- 예 한 원에서 반지름은 많이 그을 수 있다.

2주차 3회
수학 교과서 어휘

수록 교과서 수학 3-2
4. 분수

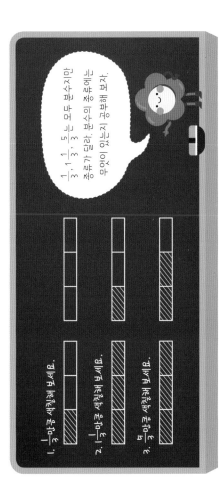

다음 중 낱말의 뜻을 잘못 읽고 있는 것에 ✓하세요.

□ 진분수　□ 가분수　□ 자연수　□ 대분수　□ 간　□ 종이띠

(말풍선) 1/3, 1/3, 1/3, 5/3 는 모두 분수이지만 종류가 다르다. 분수의 종류에는 무엇이 있는지 공부해 보자.

1. 1/3만큼 색칠해 보세요.

2. 1/3만큼 색칠해 보세요.

3. 5/3만큼 색칠해 보세요.

낱말을 읽고, 부분에 알맞은 답을 그으면서 낱말 공부를 해 보세요.

진분수
眞 참 진 + 分 나눌 분 + 數 셈 수

- Tip 진분수는 항상 0보다 크고 1보다 크고 작은 분수예요.
- 뜻 분자가 분모보다 작은 분수.
- 예 $\frac{1}{3}$, $\frac{2}{3}$ 는 진분수이다.

가분수
假 거짓 가 + 分 나눌 분 + 數 셈 수

- 뜻 분자가 분모와 같거나 분모보다 큰 분수.
- 예 $\frac{4}{4}$, $\frac{5}{4}$, $\frac{6}{4}$, $\frac{7}{4}$, $\frac{8}{4}$ 은 가분수이다.

자연수
自 스스로 자 + 然 그럴 연 + 數 셈 수

- Tip 자연수라는 이름은 가장 자연스러운 수라는 뜻에서 붙여졌어요.
- 뜻 1부터 시작하여 하나씩 더하여 얻는 수.
- 예 1, 2, 3과 같은 수를 자연수라고 한다.

대분수
帶 띠 대 + 分 나눌 분 + 數 셈 수

- 뜻 자연수와 진분수로 이루어진 분수.
- 예 $1\frac{1}{4}$ 과 같은 분수를 대분수라고 한다.

이것만은 꼭!

자연수 → $1\frac{1}{4}$ ← 진분수

간

- 뜻 진물, 기차, 건물 안, 좌장 등을 일정한 크기나 모양으로 둘러막아 생긴 곳.
- 예 한쪽 벽의 길이가 10미터인 사육장을 5칸으로 똑같이 나누었다.
- 여러 가지 뜻을 가진 낱말 간
- 예 '간'은 사방을 둘러막은 선의 안이라는 뜻도 있어. 답을 쓸 때 유의해라.

종이띠

- 뜻 종이를 길게 오려 만든 띠.
- 예 6센티미터의 종이띠를 $\frac{1}{3}$ 만큼 색칠해 보자.
- (말풍선) '종이띠'는 '종이'와 '띠'를 합쳐서 만든 낱말이야.

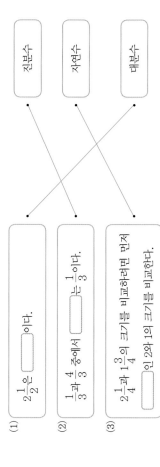

확인 문제

56~57쪽에서 공부한 낱말을 떠올리며 문제를 풀어 보세요.

1 보기에 있는 글자 카드로 뜻에 알맞은 낱말을 만들어 쓰세요. (같은 글자 카드를 여러 번 쓸 수 있어요.)

보기: 때 름 반 심 원 의 중 지 트

(1) 원 위의 두 점을 이으면서 원의 중심을 지나는 선분. → 지 름
(2) 육상 경기장이나 경마장에서 사람이나 말이 달리는 길. → 트 랙
(3) 원의 중심과 원 위의 한 점을 이은 선분. → 반 지 름
(4) 원을 그릴 때에 누름 못이 꽂혔던 점. → 원 의 중 심

해설 | 원 위의 두 점을 이으면서 원의 중심을 지나는 선분은 '지름', 육상 경기장이나 경마장에서 사람이나 말이 달리는 길은 '트랙', 원의 중심과 원 위의 한 점을 이은 선분은 '반지름', 원을 그릴 때에 누름 못이 꽂혔던 점은 '원의 중심'입니다.

2 낱말의 뜻에 맞게 ( ) 안에서 알맞은 말을 골라 ○표 하세요.

(1) 공깃돌 — 아이들이 막대로 굴리면서 노는 쇠나 매끄러운 돌 또는 (⊙둥근, 네모난) 모양의 장난감.

(2) 컴퍼스 — 뾰족 오므렸다 할 수 있는 두 다리를 이용해 (⊙원, 삼각형)을 그리는 데 사용하는 기구.

해설 | '공깃돌'은 아이들이 막대로 굴리면서 노는 쇠나 매끄러운 돌 또는 둥근 모양으로 만든 둥근 모양의 장난감을 뜻하며, '컴퍼스'는 없다 어 므렸다 할 수 있는 두 다리를 이용해 원을 그리는 데 사용하는 기구를 뜻합니다.

3 빈칸에 들어갈 알맞은 낱말을 찾아 선으로 이으세요.

(1) 컴퍼스의 침을 ☐ 에 꽂고 원을 그 렸다. — 지름
(2) ☐ 은 원 안에 그을 수 있는 가장 긴 선분이다. — 반지름
(3) 원의 지름이 6센티미터이면 ☐ 은 3센티미터이다. — 원의 중심

해설 | (1) 컴퍼스의 침을 꽂고 원을 그리려면 '원의 중심'에 꽂고 원을 이으므로 '원의 중심'을 이용해야 합니다. (2) 원 안에 그을 수 있는 가장 긴 선분은 지름을 이으므로 '지름'이 들어가야 합니다. (3) 원의 중심과 원 위의 한 점을 이은 선분은 지름이 6센티미터이면 반지름은 3센티미터가 들어가야 하므로 '반지름'을 뜻하는 '반지름'이 들어가야 합니다.

58~59쪽에서 공부한 낱말을 떠올리며 문제를 풀어 보세요.

4 뜻에 알맞은 낱말을 빈칸에 쓰세요.

(1) ❶진 분 수 / ❷가 분 수

가로 열쇠 ❶ 분자가 분모보다 작은 분 수.
세로 열쇠 ❷ 분자가 분모와 같거나 분 모보다 큰 분수.

(2) ❶자 연 수 / ❷대 분 수

가로 열쇠 ❶ 1부터 시작하여 하나씩 더하여 얻는 수.
세로 열쇠 ❷ 자연수와 진분수로 이루 어진 분수.

해설 | (1) 분자가 분모보다 작은 분수는 '진분수', 분자가 분모와 같거나 분모보다 큰 분수는 '가분수'입니다. (2) 1부터 시작하여 하나씩 더하여 얻는 수는 '자연수', 자연수와 진분수로 이루어진 분수는 '대분수'입니다.

5 밑줄 친 낱말이 보기의 뜻으로 쓰이지 않은 것에 ×표 하세요.

보기: 칸: 건물, 기차 안, 책장 등을 일정한 크기나 모양으로 둘러막아 생긴 곳.

(1) 책꽂이 제일 윗줄 칸에 책을 꽂았다. ( )
(2) 첫 번째 칸에 이름과 나이를 적었다. (×)

해설 | (2)의 '칸'은 사람을 둘러막은 선의 안이라는 뜻입니다.

6 빈칸에 들어갈 알맞은 낱말을 찾아 선으로 이으세요.

(1) 2 1/2 은 ☐ 이다. — 진분수
(2) 1/3과 4/3 중에서 ☐ 는 1/3 이다. — 자연수
(3) 2 1/4과 1 3/4 의 크기를 비교하려면 먼저 ☐ 인 2와 1의 크기를 비교한다. — 대분수

해설 | (1) 자연수와 진분수로 이루어진 분수를 뜻하는 '대분수'의 분수를 이으므로 '대분수'에 이어야 합니다. (2) 분자가 분모보다 작은 분수를 뜻하는 '진분수'가 들어가야 합니다. (3) 2와 1의 크기를 비교하므로 자연수가 들어가야 하므로 '자연수'에 이어야 합니다.

과학 교과서 어휘

수록 교과서 과학 3-2 2. 동물의 생활

다음 중 낱말의 뜻을 잘 알고 있는 것에 ✓ 하세요.

□ 날아다니다 □ 빨판 □ 탐사 □ 기능 □ 깃털 □ 지느러미

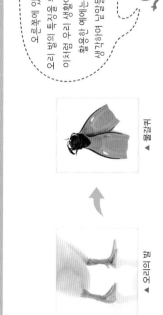
▲ 물갈퀴
▲ 오리의 발

오른쪽에 있는 물갈퀴는 우리 발의 특징을 활용하여 만든 거야. 이처럼 우리 생활에서 동물의 특징을 활용한 예에는 무엇이 있는지 생각하며 낱말들을 공부해 보자.

낱말을 읽고, 부분에 알맞은 그림을 그으면서 낱말 공부를 해 보세요.

날아다니다

뜻 여기저기 날아서 다니다.
예 공원에서 까치가 날아다니는 모습을 보았다.

둘 이상의 낱말이 합쳐진 말 '다니다'가 들어간 낱말

'날아다니다'는 '하늘과 땅 사이에 떠서 위치를 옮겨가다.'라는 뜻의 '날다'와 "이리저리 오고 가다."라는 뜻의 '다니다'가 합쳐진 낱말이야. '뛰어다니다'도 '뛰다'와 '다니다'가 합쳐진 낱말이지.

이것만은 꼭!

빨판

빨판

뜻 다른 동물이나 물체에 달라붙을 때 쓰는 몸의 한 부분.
예 청소걸이는 문어 빨판의 특징을 활용하여 만들었다.

정답과 해설 ▶ 27쪽

탐사
探 찾을 탐 + 査 조사할 사

뜻 잘 알려지지 않은 것을 빠짐없이 조사함.
예 바다거북의 특징을 활용하여 모든 방향으로 헤엄치면서 물속을 탐사하는 로봇을 만들었다.

기능
機 기계 기 + 能 능할 능

뜻 어떤 역할이나 작용을 함. 또는 그런 역할이나 작용.
예 로봇에게 있어야 할 기능을 생각해 봅시다.

비슷한말 성능
'성능'은 기계 등이 지닌 성질이나 기능을 뜻하는 낱말이야.
예 이 세탁기는 낡았지만 성능은 훌륭하다.

깃털

기름기가 있는 깃털은 촘촘하게 박혀 있네.

뜻 새의 몸을 덮고 있는 털.
예 펭귄의 몸에는 기름기가 있는 깃털이 촘촘하게 박혀 있어 몸이 물에 젖지 않는다.

지느러미

지느러미

뜻 물고기나 물에 사는 동물이 몸을 바로잡거나 헤엄치는 데 쓰는 몸의 한 부분.
예 물고기는 지느러미로 헤엄을 친다.

2주차 4회

과학 교과서 어휘

다음 중 낱말의 뜻을 잘 알고 있는 것에 ✓하세요.

□ 지표 □ 흙 □ 깎다 □ 부식물 □ 침식 작용 □ 퇴적 작용

수록 교과서 과학 3-2
3. 지표의 변화

바위나 돌은 오랜 시간이 지나면 어떻게 변할까요? 또 흐르는 물은 지표의 모습을 어떻게 변화시킬까요? 관련 낱말들을 배워서 궁금증을 해결해 보자.

🖉 낱말을 읽고, ▨▨▨부분에 밑줄을 그으면서 낱말 공부를 해 보세요.

지표
地 땅 지 + 表 겉 표

이것만은 꼭!
- 뜻 땅의 표면.
- 예 흐르는 물은 지표를 변화시킨다.

비슷한말 **지표면**
- '지표면'은 지구의 표면이나 땅의 겉면을 뜻하는 낱말이야.
- 예 다운 여름에는 지표면이 드러난다.

흙

- 뜻 바위나 돌이 잘게 부서진 알갱이와 생물이 썩어 생긴 물질들이 섞인 것.
- 예 산에 있는 흙은 바위나 돌이 부서져서 만들어진다.

깎다

- 뜻 칼과 같은 도구로 물건의 표면이나 껍질을 얇게 벗겨 내다.
- 예 흐르는 물은 바위나 돌, 흙 등을 깎는다.

여러 가지 뜻을 가진 낱말 깎다
- '깎다'는 "물이나 털 등을 잘라 내다."라는 뜻도 있어.
  예 머리를 깎다.
- '깎다'는 "값을 낮추다."라는 뜻도 있지.
  예 배추의 값을 깎았다.

부식물
腐 썩을 부 + 蝕 좀먹을 식 + 物 물건 물

- 뜻 식물의 뿌리나 죽은 곤충, 나뭇잎 조각 등이 섞여서 만들어진 것.
- 예 화단 흙에는 운동장 흙보다 뜨는 부식물이 더 많이 섞여 있기 때문에 식물이 잘 자란다.

침식 작용
浸 잠길 침 + 蝕 좀먹을 식 + 作 지을 작 + 用 쓸 용

Tip 침식은 바위나 돌, 흙, 흙 등이 나뭇잎이나 냇물, 바람 등에 깎여 나가는 것.
- 뜻 지표나 바위나 돌, 흙 등이 깎여 나가는 것.
- 예 바닷물의 침식 작용은 바위에 구멍을 뚫는다.

관련 어휘 **작용**
- '작용'은 어떤 현상이나 행동을 일으키거나 영향을 주는 것을 말해.

퇴적 작용
堆 쌓을 퇴 + 積 쌓을 적 + 作 지을 작 + 用 쓸 용

Tip 퇴적은 물이나 바람에 의해 옮겨진 알갱이들이 쌓이는 것을 말해요.
- 뜻 옮겨진 돌이나 흙이 쌓이는 것.
- 예 바닷물의 퇴적 작용은 모래나 고운 흙을 쌓아 모래 해변을 만든다.

관련 어휘 **퇴적물**
- '퇴적물'은 흙이나 죽은 생물의 뼈 등이 물이나 바람, 빙하 등에 의해 움직여 땅의 표면에 쌓인 물질을 말해.

확인 문제

✐ 62~63쪽에서 공부한 낱말을 떠올리며 문제를 풀어 보세요.

1 뜻에 알맞은 낱말을 글자판에서 찾아 묶으세요. (낱말은 가로(─), 세로(│) 방향에 숨어 있어요.)

웃	❶지	날	다
식	빨	❸기	능
❹지	느	러	미
식	❷탐	사	자

❶ 세어 묶음 담고 있는 털.
❷ 잘 알려지지 않은 것을 빠짐없이 조사함.
❸ 어떤 역할이나 작용을 함. 또는 그런 역할이나 작용.
❹ 물고기나 몸에 사는 동물이 몸을 바로잡거나 헤엄치는 데 쓰는 몸의 한 부분.

해설 | ❶ 세어 묶음 담고 있는 털을 뜻하는 낱말은 '짓털'입니다. ❷ 잘 알려지지 않은 것을 빠짐없이 조사하는 것을 뜻하는 낱말은 '탐사'입니다. ❸ 어떤 역할이나 작용을 하는 것 또는 그런 역할이나 작용을 하는 것을 뜻하는 낱말은 '기능'입니다. ❹ 물고기나 몸에 사는 동물이 몸을 바로잡거나 헤엄치는 데 쓰는 몸의 한 부분을 뜻하는 낱말은 '지느러미'입니다.

2 친구들의 물음에 알맞은 답을 쓰세요.

(1) 다른 동물이나 물체에 담긴물을 때 쓰는 몸이 한 쌍 부분을 뜻하는 낱말은?

빨 | | 판 |

(2) "여기저기 늘어서 다니다."라는 뜻의 낱말은?

| 늘 | 어 | 다 | 니 | 다 |

해설 | (1) 바다에 잘 알려지지 않은 것을 조사하는 로봇을 만들고 싶다는 내용으로, 빨판이 늘어가야 함을 알 수 있습니다. (2) 참새, 까치 등이 있다는 내용으로 보아, 날아다니다가 들어가야 합니다.

3 ( ) 안에 들어갈 알맞은 낱말을 보기에서 찾아 쓰세요.

보기

기능 | 탐사 | 탐사 | 빨판 | 날아다니는

(1) 바다를 (탐사)하는 로봇을 만들고 싶다.
(2) 문어는 (빨판)이/가 있어 어디에나 잘 달라붙는다.
(3) 주변에서 볼 수 있는 (날아다니는) 동물에는 참새, 까치 등이 있다.
(4) 이 제품은 온도와 습도를 잴 수 있는 뿐만 아니라 시계 (기능)도 있다.

해설 | (1) 바다에 잘 알려지지 않은 것을 조사한다는 내용으로 보아, 빈칸에는 '탐사'가 들어가야 합니다. (3) 참새, 까치 등이 있는 내용으로 보아, '날아다니는'이 들어가야 합니다.

✐ 64~65쪽에서 공부한 낱말을 떠올리며 문제를 풀어 보세요.

4 다음 뜻을 가진 낱말을 완성하세요.

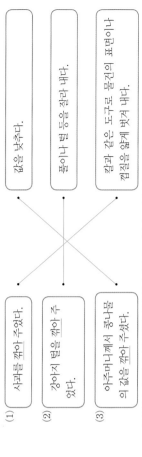

(1) 바위나 돌이 작게 부서진 알갱이와 생물이 섞어 생긴 물질을이 쌓인 것.
→ 흙

(2) 땅의 표면.
→ 지 표

(3) 식물의 뿌리나 죽은 곤충, 나뭇잎 조각 등이 섞어서 만들어진 것.
→ 부 식 물

해설 | (1) 바위나 돌이 작게 부서진 알갱이와 생물이 섞어 생긴 물질을이 쌓인 것을 뜻하는 낱말은 '흙'입니다. (2) 땅의 표면을 뜻하는 낱말은 '지표'입니다. (3) 식물의 뿌리나 죽은 곤충, 나뭇잎 조각 등이 섞어서 만들어진 것을 뜻하는 낱말은 '부식물'입니다.

5 낱말의 뜻에 맞게 ( ) 안에서 알맞은 말을 골라 ○표 하세요.

(1) 침식 작용 | 지표를 바위나 돌, 흙 등이 (쌓이는 , 깎여 나가는) 것.

(2) 퇴적 작용 | 옮겨진 돌이나 흙이 (쌓이는, 깎여 나가는) 것.

해설 | 침식 작용은 지표의 바위나 돌, 흙 등이 깎여 나가는 것, 퇴적 작용은 옮겨진 돌이나 흙이 쌓이는 것을 뜻하는 낱말입니다.

6 밑줄 친 낱말의 뜻을 찾아 선으로 이으세요.

(1) 사과를 깎아 주었다.
(2) 강아지 털을 깎아 주었다.
(3) 아주머니께서 콩나물 의 값을 깎아 주었다.

· 값을 낮추다.
· 풀이나 털 등을 잘라 내다.
· 칼과 같은 도구로 물건의 거죽이나 껍질을 얇게 벗겨 내다.

7 밑줄 친 낱말의 쓰임이 알맞으면 ○표, 알맞지 않으면 ✕표 하세요.

(1) 강 하류로 침식 작용이 활발해 여러 모습이 쌓인다. (✕)
(2) 바위나 돌은 오랜 시간에 걸쳐 작게 부서져 흙이 된다. (○)
(3) 소중한 흙이 깎여 나가는 것을 흙 등이 깎여 나가는 것을 막아 주는 시설물을 만들어 보자. (○)

해설 | (1) 강 하류에서는 퇴적 작용이 활발하게 일어납니다. "강 하류로 퇴적 작용이 활발해 여러 모습이 쌓인다."가 바른 문장입니다.

大(대)가 들어간 낱말

'大(대)'가 들어간 낱말을 읽고, ＿＿ 부분에 알맞은 낱말을 그으면서 낱말 공부를 해 보세요.

大 큰 대

'대(大)'는 양팔을 벌리고 있는 사람을 본떠 만든 것으로, '크다'라는 뜻을 표현한 글자야. 낱말에서 '대(大)'는 '닮다'의 뜻으로 쓰이기도 해.

大기만성, 大로, 大량, 大식가

많다 大

대량
大 많을 대 + 量 헤아릴 량
뜻 아주 많은 양.
예 물건을 대량으로 사서 싸게 살 수 있다.
비슷한말 다량
'다량'은 많은 양을 뜻하는 낱말이야.
예 한 유적지에서 다량의 토기가 발견되었다.

대식가
大 많을 대 + 食 먹을 식 + 家 정통한 사람 가
家(가)'의 대표 뜻은 '집'이야.
뜻 음식을 보통 사람보다 많이 먹는 사람.
예 그는 한 번에 밥을 세 공기씩 먹는 대식가이다.
반대말 소식가
'소식가'는 음식을 보통 사람보다 적게 먹는 사람이야.
예 삼촌은 밥 한 공기도 못 먹는 소식가이다.

크다 大

대기만성
大 클 대 + 器 그릇 기 + 晩 늦을 만 + 成 이룰 성
뜻 큰 그릇을 만드는 데는 시간이 오래 걸린다는 뜻으로, 크게 될 사람은 많은 노력을 한 끝에 늦게 성공한다는 말.
예 대기만성이라더니 포기하지 않고 끝까지 노력하니까 결국 성공하는구나.

대로
大 클 대 + 路 길 로
뜻 크고 넓은 길.
예 우리 학교는 대로 근처에 있다.
비슷한말 큰길
'큰길'도 크고 넓은 길을 뜻하는 낱말이야.
예 큰길에서 공을 가지고 놀면 안돼.

2주차 5회 한자 어휘

善(선)이 들어간 낱말

'善(선)'이 들어간 낱말을 읽고, ＿＿ 부분에 알맞은 낱말을 그으면서 낱말 공부를 해 보세요.

善 착할 선

'선(善)'은 양을 뜻하는 글자와 눈을 뜻하는 글자가 합쳐져 만든 글자야. '선(善)'은 양의 눈을 가진 사람, 다시 말해 착한 사람이라는 뜻을 표현한 글자로, 낱말에서 '선(善)'은 '착하다', '좋다' 등의 뜻을 나타내.

개과천善, 善행, 다다익善, 최善

Tip '선(善)'이 '착하다'의 뜻으로 쓰인 낱말에는 '선도'도 있어요. '선도'는 행동이나 성질이 착한 것을 뜻하는 낱말이에요.

착하다 善

개과천선
改 고칠 개 + 過 잘못 과 + 遷 바뀔 천 + 善 착할 선
改(개)'의 대표 뜻은 '고치다'야.
뜻 잘못이나 못된 마음을 고쳐 올바르고 착하게 됨.
예 말썽만 부리던 세호는 개과천선을 하여 모범생이 되었다.

선행
善 착할 선 + 行 행위 행
行(행)'의 대표 뜻은 '다니다'야.
뜻 착한 일.
예 우리 할아버지께서는 오래 전부터 어려운 이웃을 돕는 선행을 해 오고 계신다.

좋다 善

다다익선
多 많을 다 + 多 많을 다 + 益 더할 익 + 善 좋을 선
뜻 많으면 많을수록 좋음.
예 다다익선이라고 일을 도와줄 사람이 많을수록 좋다.

최선
最 가장 최 + 善 좋을 선
뜻 가장 좋고 훌륭함.
예 몸이 아플 때에는 쉬는 게 최선이다.
여러 가지 뜻을 가진 낱말 최선
'최선'은 모든 정성과 힘이라는 뜻도 있어.
예 최선을 다해 달렸다.

확인 문제

68쪽에서 공부한 낱말을 떠올리며 문제를 풀어 보세요.

1 보기에 있는 글자 카드로 뜻에 알맞은 낱말을 만들어 쓰세요. (같은 글자 카드를 여러 번 쓸 수 있어요.)

보기: 천 개 다 선 의 행 과

(1) 착한 일. → 선 행

(2) 많으면 많을수록 좋음. → 다 다 익 선

(3) 잘못이나 잘못된 마음을 고쳐 올바르고 착하게 됨. → 개 과 천 선

해설 | (1) 착한 일이란 뜻을 가진 낱말은 '선행'입니다. (2) '많으면 많을수록 좋다'라는 뜻을 가진 낱말은 다다익선'입니다. (3) '잘못이나 잘못된 마음을 고쳐 올바르고 착하게 됨'이라는 뜻을 가진 낱말은 '개과천선'입니다.

2 밑줄 친 '선'이 '착하다'의 뜻으로 쓰인 것에 ○표 하세요.

(1) 개과천선   (2) 다다익선
(○)   (   )

해설 | '다다익선'에 쓰인 '선'은 '좋다'는 뜻입니다.

3 밑줄 친 낱말의 뜻을 보기 에서 찾아 기호를 쓰세요.

보기: ㉠ 모두 정성과 힘.   ㉡ 가장 좋고 훌륭함.

(1) 최선을 다했기 때문에 후회는 없다. (㉠)

(2) 이 일을 빨리 끝낼 필요가 우리 모두 힘을 합치는 것이다. (㉡)

해설 | (1)의 '최선'은 모두 정성과 힘을 뜻합니다. (2)의 '최선'은 가장 좋고 훌륭한 것을 뜻합니다.

4 ( )안에 들어갈 알맞은 낱말을 보기 에서 찾아 쓰세요.

보기: 최선   선행   다다익선

(1) (다다익선)이라고 아이들이 많을수록 놀이는 더 재미있다.

(2) 금융 참 쓰는 (최선)의 방법은 체음 많이 읽는 것이다.

(3) 배고픈 아이에게 치킨을 여러 번 준 치킨집 주인의 (선행)이 알려졌다.

해설 | (1) 아이들이 많을수록 놀이는 더 재미있다는 내용으로, '다다익선'이 들어가야 합니다. (2) 금을 참 쓰는 가장 좋은 방법은 책을 많이 읽는 것이라는 내용으로, '최선'이 들어가야 합니다. (3) 배고픈 아이에게 치킨을 여러 번 준 치킨집 주인의 착하고 훌륭한 행동이 알려졌다는 내용으로, '선행'이 들어가야 합니다.

69쪽에서 공부한 낱말을 떠올리며 문제를 풀어 보세요.

5 뜻에 알맞은 낱말을 빈칸에 쓰세요.

대	기	만	성
시		대	로
가		량	

가로 열쇠 ❶ 큰 그릇을 만드는 데는 시간이 오래 걸린다는 뜻으로, 크게 될 사람은 많은 노력을 한 끝에 늦게 성공한다는 말. ❷ 크고 넓은 길.

세로 열쇠 ❶ 음식을 보통 사람보다 많이 먹는 사람. ❷ 아주 많은 양.

해설 | 〈가로 열쇠〉 ❶ 크게 될 사람은 많은 노력을 한 끝에 늦게 성공한다는 뜻을 가진 낱말은 '대기만성'입니다. ❷ 크고 넓은 길을 뜻하는 낱말은 '대로'입니다. 〈세로 열쇠〉 ❶ 음식을 보통 사람보다 많이 먹는 사람을 뜻하는 낱말은 '대식가'입니다. ❷ 아주 많은 양을 뜻하는 낱말은 '대량'입니다.

6 다음 낱말과 뜻이 비슷한 낱말에 ○표 하세요.

(1) 대로 : 찻길   골목길   지름길   갈림길

(2) 대량 : 다량   소량   식사량   사용량

해설 | '대로'와 뜻이 비슷한 낱말은 크고 넓은 길을 뜻하는 '큰길'이고, '대량'과 뜻이 비슷한 낱말은 많은 양을 뜻하는 '다량'입니다.

7 빈칸에 들어갈 알맞은 낱말을 낱말 글자 카드를 이용하여 만들어 쓰세요.

식   소   가   대

(1) 대 식 가 인 이모도 무엇이든 많이 먹는데도 살이 안 찐다.

(2) 동전지에 오실 많은 손님들에게 나누어 주기 위해 수건을 대 량 으로 샀다.

(3) 만화 그리는 일반 십 년이 남도록 하다니 참 유명해졌구나. '대 기 만 성 '이라는 말이 맞는 것 같아.

해설 | (1) 무엇이든 많이 먹는다는 내용으로, '대식가'가 들어가야 합니다. (2) 동전지에 오실 많은 손님들에게 나누어 주기 위해 수건을 많이 샀다는 내용으로, '대량'이 들어가야 합니다. (3) 십 년이 넘어서야 유명해졌다는 내용으로, '대기만성'이 들어가야 합니다.

2주차 어휘력 테스트

2주차 1~5회에서 공부한 낱말을 떠올리며 문제를 풀어 보세요.

낱말 뜻

1 뜻에 알맞은 낱말을 보기 에서 찾아 쓰세요.

보기

탐사   인상   온몸   컴퍼스   등그스름하다

(1) (등그스름하다): 약간 둥글다.

(2) (인상): 대상이 주는 느낌.

(3) (탐사): 잘 알려지지 않은 것을 빠짐없이 조사함.

(4) (온몸): 이곳구에 붙을 때어 열이 열이 방 밑을 지나 방바닥 전체를 덥히는 장치.

(5) (컴퍼스): 폈다 오므렸다 할 수 있는 두 다리를 이용해 원을 그리는 데 사용하는 기구.

해설 | (1)은 둥그스름하다, (2)는 인상, (3)은 탐사, (4)는 온돌, (5)는 '컴퍼스'의 뜻입니다.

낱말 뜻

2~3 낱말의 뜻에 맞게 (   ) 안에서 알맞은 말을 골라 ○표 하세요.

2

보기   옛날에 쓰던 (돌 . 흙)(으)로 만든 그릇.

해설 | 토기는 옛날에 쓰던 흙으로 만든 그릇을 뜻하는 낱말입니다.

한자 성어

3

대분수   자연수와 (진분수 , 가분수)로 이루어진 분수.

해설 | '대분수'는 자연수와 진분수로 이루어진 분수를 뜻하는 낱말입니다.

비슷한말

4 안의 낱말과 뜻이 비슷한 낱말은 무엇인가요? (③)

생생하다

① 깨끗하다   ② 상상하다   ③ 선명하다
④ 점검하다   ⑤ 중요하다

해설 | '생생하다'의 비슷한말은 '뚜렷하고 분명하다.'라는 뜻의 선명하다입니다.

뜻 이상의 낱말이 합쳐진 말

5 다음 낱말은 어떤 낱말이 합쳐진 것인지 쓰세요.

(1) 넘어다니다   →   넘다   +   다니다

(2) 뛰어다니다   →   뛰다   +   다니다

해설 | '넘어다니다'는 '넘다'와 '다니다'가, '뛰어다니다'는 '뛰다'와 '다니다'가 합쳐진 낱말입니다.

뜻을 더해 주는 말

6 빈칸에 공통으로 들어갈 알맞은 말은 무엇인가요? (①)

- 싫어나다: 다시 살아나다.
- 감다: 원래대로 감거나 다시 감다.
- 돌아보다: 지난 일을 다시 생각해 보다.

① 되   ② 들   ③ 맨
④ 풋   ⑤ 햇

해설 | 빈칸에 공통으로 들어갈 말은 다시의 뜻을 더해 주는 말인 '되-'입니다.

한자 성어

7 (   ) 안에서 알맞은 낱말을 골라 ○표 하세요.

(1) (다다익선 , 대기만성)이라고 좋은 습관은 많을수록 좋다.

(2) (다다익선 , 대기만성)이라는 말처럼 이모부는 쉰 살이 넘어서 사업에 크게 성공하셨다.

해설 | 다다익선은 많으면 많을수록 좋다는 뜻이고, '대기만성'은 크게 될 사람은 많은 노력을 한 끝에 늦게 성공한다는 뜻입니다.

낱말 활용

8~10 (   ) 안에 들어갈 알맞은 낱말을 보기 에서 찾아 쓰세요.

보기

기능   대량   시루

8

할머니께서는 떡을 (시루)에 넣고 찌셨다.

해설 | 떡이나 쌀 등을 찌는 데 쓰며 바닥에 구멍이 여러 개 뚫려 있는 둥글고 넓적한 그릇을 뜻하는 '시루'가 들어가야 합니다.

9

학교 급식은 학교의 모든 학생이 먹기 때문에 음식을 (대량)(으)로 만든다.

해설 | 학교의 모든 학생이 먹기 때문에 음식을 많이 만든다는 내용으로, '대량'이 들어가야 합니다.

10

요즈음 나오는 휴대 전화는 게임이나 사진 편집 등 (기능)이/가 다양하다.

해설 | 요즈음 나오는 휴대 전화는 게임이나 사진 편집 등 다양한 작동을 한다는 내용으로, '기능'이 들어가야 합니다.

어휘가
문해력
이다

초등 3학년 2학기

3주차 정답과 해설

수록 교과서 국어 3-2 ㉮
5. 바르게 대화해요

다음 중 낱말의 뜻을 잘 알고 있는 것에 ✓ 하세요.

□ 헤아리다　□ 집중하다　□ 고려하다　□ 존중하다　□ 반응하다　□ 밝히다

낱말을 읽고, 부분에 알맞은 낱말 공부를 해 보세요.

헤아리다

뜻 어떤 일을 짐작하거나 미루어 생각하다.
예 전화를 건 지수가 전화를 받은 정이의 상황은 헤아리지 않고 계속 자기 할 말만 했다.

여러 가지 뜻을 가진 낱말 헤아리다
'헤아리다'는 "수량을 세다."라는 뜻도 있어.
예 바지 주머니에 있던 동전이 몇 개인지 헤아려 보았다.

집중하다

集 모일 집 + 中 가운데 중 + 하다

이것만은 꼭!
뜻 어떤 일에 모든 힘을 쏟다.
예 대화를 나눌 때 상대가 하는 말을 집중해서 듣지 않으면 상대가 무슨 말을 하는지 알 수 없다.

여러 가지 뜻을 가진 낱말 집중하다
'집중하다'는 "한곳을 중심으로 하여 모이다."라는 뜻도 있어.
예 농촌 인구가 도시로 집중하고 있다.

'쏟다'는 "마음이나 정신 등을 어떤 대상이나 일에 기울이다."라는 뜻이야.

반응하다

反 돌이킬 반 + 應 응할 응 + 하다

뜻 어떤 자극에 대하여 일정한 동작이나 태도를 보이다.
예 대화를 할 때에는 고개를 끄덕이거나 상대를 바라보는 등 상대가 하는 말에 알맞게 반응해야 한다.

'자극'은 마음이나 몸에 영향을 미치는 것을 뜻해.

정답과 해설 ▶ 34쪽

고려하다

考 생각할 고 + 慮 생각할 려 + 하다

뜻 생각하고 헤아려 보다.
예 다른 사람과 대화할 때에는 대화 상대가 누구인지, 어떤 대화 상황인지 고려해야 한다.
Tip '고려하다'는 어떤 일을 하는 데 여러 가지 상황이나 조건을 생각하는 것을 말해요.

존중하다

尊 높을 존 + 重 귀중할 중 + 하다

뜻 의견이나 사람을 높이어 귀중하게 생각하다.
예 상대를 바라보며 상대가 하는 말을 존중하며 대화하는 것이 바른 태도이다.

밝히다

뜻 모르거나 알려지지 않은 사실을 알리다.
예 전화로 대화할 때에는 먼저 자신이 누구인지 밝혀야 한다.

여러 가지 뜻을 가진 낱말 밝히다
'밝히다'는 "어두운 곳을 환하게 하다."라는 뜻도 있어.
예 촛불로 방 안을 밝혔다.

꼭! 알아야 할 속담

OX 하기

'(담 쌓던 게 지붕 쳐다보듯, 지렁이도 밟으면 꿈틀한다)은/는 아무리 지위가 낮거나 순하고 좋은 사람이라도 너무 업신여기면 가만있지 않는다는 뜻입니다.

국어 교과서 어휘

수록 교과서 국어 3-2 ⑭
6. 마음을 담아 글을 써요

다음 중 낱말의 뜻을 잘 알고 있는 것에 ✓ 하세요.

□ 감정 □ 진심 □ 평소 □ 쪽지 □ 당황하다 □ 화해하다

낱말을 읽고, 부분에 낱말을 그으면서 낱말 공부를 해 보세요.

이것만은 꼭!

감정
感 느낄 감 + 情 뜻 정

뜻 일이나 물건 등에 대한 느낌이나 기분.
예 친구에게 사과하는 글을 쓸 때에는 자신의 감정을 솔직하게 쓰는 것이 좋다.

글자는 같지만 뜻이 다른 낱말 감정
'감정'은 물건의 특징이나 좋고 나쁨, 진짜와 가짜 등을 가리는 것이라는 뜻도 있어.
예 보석 감정 결과 가짜라는 것이 드러났다.

진심
眞 참 진 + 心 마음 심

뜻 거짓이 없는 진실한 마음.
예 자신의 마음을 전할 때에는 상대의 기분을 생각하며 진심으로 말하는 것이 중요하다.

평소
平 평평할 평 + 素 평소 소

뜻 특별한 일이 없는 보통 때.
예 평소 자신의 모습은 어떤지 돌아보자.

비슷한말 평상시
'평상시'도 특별한 일이 없는 보통 때를 뜻하는 낱말이야.
예 내가 평상시 즐겨 먹는 음식은 된장찌개이다.

平(평평할 평)의 대표 뜻은 '평평하다'. 素(흴 소)의 대표 뜻은 '흰색' 인데…

넌 평소에 어떤 운동을 즐겨 하니?

난 평소에 배드민턴을 즐겨 해.

쪽지
쪽 + 紙 종이 지

뜻 어떤 내용의 글을 적은 작은 종잇조각.
예 짝에게 생일잔치에 오라는 쪽지를 썼다.

당황하다
唐 당황할 당 + 慌 어리둥절할 황 + 하다

뜻 놀라거나 매우 급하여 어떻게 해야 할지를 모르다.
예 달리기를 잘 못하는데 갑자기 이어달리기 선수로 뽑혀서 당황하였다.

반대말 태연하다
'태연하다'는 "마땅히 머뭇거리거나 두려워할 상황에서도 아무렇지 않고 평소와 같다."라는 뜻이야.
예 나는 무서웠지만 태연한 척 행동했다.

화해하다
和 화할 화 + 解 풀 해 + 하다

뜻 싸움을 멈추고 서로 가지고 있던 나쁜 마음을 풀어 없애다.
예 다른 친구와 화해하고 싶을 때에는 진심을 담아 상냥하게 말해야 한다.

꼭 알아야 할 관용어

빈칸 채우기

입 만 아프다는 여러 번 말해도 받아들이지 않아 답한 보람이 없다는 뜻입니다.

확인 문제

✏ 76~77쪽에서 공부한 낱말을 떠올리며 문제를 풀어 보세요.

1 뜻에 알맞은 낱말을 빈칸에 쓰세요.

❶ 진			❸ 밝
❷ 중	하	히	다
다			

가로 열쇠 → ❶ 어떤 일에 모든 힘을 쏟다. ❸ 모르거나 알려지지 않은 사실을 알리다.

세로 열쇠 ↓ ❷ 의견이나 사람을 높여 귀중하게 생각하다.

2 낱말의 뜻에 맞게 빈칸에 들어갈 알맞은 말을 완성하세요.

(1) 고려하다
생[각]하고 헤아려 보다.

(2) 헤아리다
어떤 일을 짐[작]하거나 미루어 생각하다.

해설 | '고려하다'는 "생각하고 헤아려 보다.", '헤아리다'는 "어떤 일을 짐작하거나 미루어 생각하다."라는 뜻이 알맞습니다.

3 보기의 밑줄 친 낱말과 같은 뜻으로 쓰인 것에 ○표 하세요.

보기
전화 온 아이에게 먼저 내 이름을 밝히고 인사를 하였다.

(1) 간판이 불빛을 거리를 밝히고 있다. ( )

(2) 가로등이 어두운 골목을 밝히고 있다. ( )

(3) 정철은 사건의 원인을 밝히기 위해 노력했다. (○)

해설 | 보기의 '밝히다'가 "모르거나 알려지지 않은 사실을 알리다."의 뜻으로 쓰인 것은 (3)입니다. (1)과 (2)에 쓰인 '밝히다'는 "어두운 곳을 환하게 하다."는 뜻입니다.

4 ( ) 안에 들어갈 알맞은 낱말을 보기에서 찾아 쓰세요.

보기
밝히지
반응하기
고려해야

(1) 대화할 때에는 상대의 기분도 (고려해야) 한다.

(2) 상대의 말에 알맞게 (반응하기)

(3) 전화를 건 친구가 자신의 이름을 (밝히지) 않고 자기 할 말만 하였다.

해설 | (1) 상대도 생각하고 헤아려야 한다는 내용으로, '고려해야'가 들어가야 합니다. (2) 상대의 말에 알맞은 태도를 보이는 내용으로, '반응하기'가 들어가야 합니다. (3) 전화를 건 친구가 자신의 이름을 알려야 하는데 일반 할 말만 하였다는 내용으로, '밝히지'가 들어가야 합니다.

✏ 78~79쪽에서 공부한 낱말을 떠올리며 문제를 풀어 보세요.

5 뜻에 알맞은 낱말을 보기에서 찾아 쓰세요.

보기
감정   진심   화해하다   당황하다

(1) (진심): 거짓이 없는 진실한 마음.

(2) (감정): 일이나 물건 등에 대한 느낌이나 기분.

(3) (당황하다): 놀라거나 급하여 어떻게 해야 할지를 모르다.

(4) (화해하다): 싸움을 멈추고 서로 가지고 있던 나쁜 마음을 풀다.

해설 | (1) 거짓이 없는 진실한 마음을 뜻하는 낱말은 '진심'입니다. (2) 일이나 물건 등에 대한 느낌이나 기분을 뜻하는 낱말은 '감정'입니다. (3) '놀라거나 급하여 어떻게 해야 할지를 모르다.'라는 뜻의 낱말은 '당황하다'입니다. (4) '싸움을 멈추고 서로 가지고 있던 나쁜 마음을 풀다.'라는 뜻의 낱말은 '화해하다'입니다.

6 낱말의 뜻에 맞게 빈칸에 들어갈 알맞은 말을 완성하세요.

(1) 평소
특별한 일이 없는 보[통] 때.

(2) 쪽지
어떤 내용을 적은 작은 종[이] 조[각].

해설 | '평소'는 특별한 일이 없는 보통 때를, '쪽지'는 어떤 내용을 적은 작은 종이조각을 뜻합니다.

7 빈칸에 들어갈 알맞은 낱말을 글자 카드를 이용하여 만들어 쓰세요.

(1) 상대에게 쪽지를 쓸 때에는 하고 싶은 말을 [진][심]을 담아 쓴다.

진   리   정   심

(2) 식탁 위에 간식을 먹고 화면에 가려
누 [쪽][지]가 붙어 있었다.

누   수   과   쪽

(3) 친구와 싸운 뒤 [화][해]하고 싶어 쪽지를 보냈다.

해   정   심   당   황   화

(4) [평][소]에 운동을 안 하다가 갑자기 감자기 하려니 몹시 힘이 든다.

평   수   과   지   소

해설 | (1) 거짓이 없는 진실한 마음을 담아 쪽지를 보냈다는 내용으로, '진심'이 들어가야 합니다. (2) 식탁 위에 작은 종이조각을 뜻하는 '쪽지'가 들어가야 합니다. (3) 친구와 싸운 뒤 다시 좋게 된다는 내용으로, '화해'가 들어가야 합니다. (4) 보통 때에 운동을 안 하다가 힘들다는 내용으로, '평소'가 들어가야 합니다.

부럼

뜻 정월 대보름날 이른 아침에 한 해의 건강을 비는 뜻에서 먹는 호두, 땅콩 등의 딱딱한 열매.

예 정월 대보름날의 대표적인 풍속으로는 '부럼 깨물기'가 있다.

관련 어휘 **정월 대보름**
'정월 대보름'은 우리나라의 명절 중 하나로 음력 1월 15일을 말해.

한식
寒 찰 한 + 食 먹을 식

뜻 우리나라의 명절 중 하나로 불을 피우지 않고 찬 음식을 먹는 날. 4월 5일이나 6일쯤임.

예 찬 음식을 먹는 날이기 때문에 '한식'이라는 이름이 붙었어.

Tip '한식'은 설날, 단오, 추석과 함께 우리나라의 4대 명절이 하나예요.

동지
冬 겨울 동 + 至 이를 지

뜻 일 년 중에 밤이 가장 긴 날로, 한 해를 스물넷으로 나눈 때 가운데 하나. 12월 22일이나 23일쯤임.

예 동지는 한 해를 마무리하라고 새해를 맞이하는 명절이다.

반대말 **하지**
'하지'는 일 년 중에 낮이 가장 긴 날로, 한 해를 스물넷으로 나눈 때 가운데 하나. 6월 21일쯤임.
예 낮이 길어진 것을 보니 하지가 가까워진 것을 걸을 수 있다.

설빔

뜻 설날을 맞이하여 새로 마련해 입거나 신는 옷이나 신발.

예 옛날에는 설날이 되면 설빔을 입고 어른들께 세배를 드렸다.

Tip 설빔은 '설'과 '빔'이 합쳐진 말이에요. 빔은 명절이나 잔치 때에 새 옷을 차려입는 것이나고 못 못해요.

설빔을 입고 어른들께 세배를 드리자.

3주차 2회 사회 교과서 어휘

수록 교과서 **사회 3-2**
2. 시대마다 다른 삶의 모습

다음 중 낱말의 뜻을 잘 알고 있는 것에 ✓ 하세요.

□ 세시 풍속 □ 차례 □ 부럼 □ 한식 □ 동지 □ 설빔

위의 두 그림은 세시 풍속이에나 성날이 세시 풍속이고, 아래의 두 그림은 오늘날의 세시 풍속이야. 이처럼 옛날과 오늘날의 세시 풍속에는 닮은 점도 있고 다른 점도 있어. 세시 풍속에 대한 나만의 등등을 공부해 보자.

낱말을 읽고, 부분에 알맞은 답을 그으면서 낱말 공부를 해 보세요.

세시 풍속
歲 해 세 + 時 때 시 + 風 풍속 풍 + 俗 풍속 속

이것만은 꼭!

뜻 해마다 일정한 시기에 되풀이하여 행해져 온 고유의 풍속.

예 설날에는 떡국을 먹고, 어른께 세배하는 세시 풍속이 있다.

관련 어휘 **풍속**
'풍속'은 옛날부터 전해 오는 생활 습관을 말해.

차례
茶 차 + 禮 예도 례

뜻 설날이나 추석 같은 명절에 조상에게 올리는 제사.

예 민족이에는 가족들이 정성스럽게 준비한 음식으로 차례를 지냈다.

관련 어휘 **명절**
'명절'은 해마다 일정하게 지키어 즐기거나 기념하는 때를 말해.

사회 교과서 어휘

수록 교과서 사회 3-2
3. 가족의 형태와 역할 변화

다음 중 낱말의 뜻을 잘못 알고 있는 것에 ✓ 하세요.

☐ 혼례 ☐ 혼인 ☐ 주례 ☐ 폐백 ☐ 확대 가족 ☐ 핵가족

전통 혼례 모습이야. 오늘날 결혼식의 모습과 많이 다른지? 예나와 오늘날의 결혼 풍속, 가족 형태와 관련된 낱말을 공부해 보자.

✏️ 낱말을 읽고, ____에 낱말을 그으면서 낱말 공부를 해 보세요.

혼례 (婚 혼인할 혼 + 禮 예도 례)

뜻 남자와 여자가 부부가 됨을 알리는 식.
예 옛날에는 결혼하는 남자와 여자가 부부가 됨을 알리는 식을 못하는 낱말이야.

비슷한말 결혼식, 예식
예 '결혼식', '예식'도 남자와 여자가 부부가 되는 결혼식을 하는 낱말이야.

혼인 (婚 혼인할 혼 + 姻 혼인 인)

뜻 남자와 여자가 부부가 되는 일.
예 부부는 혼인으로 맺어진 사이이다.

비슷한말 결혼
예 '결혼'도 남자와 여자가 부부가 되는 것을 뜻하는 낱말이야.
예 우리 부모님은 십 년 전에 결혼을 하셨다.

정답과 해설 ▶ 38쪽

주례 (主 주관할 주 + 禮 예도 례)
〈'주(主)'의 대표 뜻은 '임금'이야.

뜻 결혼식에서 신랑, 신부에게 도움이 되는 이야기를 하고 결혼 선서 등을 진행하는 사람. 또는 그런 일.
예 신랑과 신부는 주례와 손님들의 축복 속에서 부부가 되었다.

폐백 (幣 폐백 폐 + 帛 비단 백)
〈'폐(幣)'의 대표 뜻은 '화폐', '백(帛)'의 대표 뜻은 '비단'이야.

뜻 결혼식을 마치고 신부가 신랑의 집안 어른들께 첫인사를 올리는 것을 말함. 오늘날에는 결혼식에는 결혼식장에서 신랑, 신부가 양쪽 집 안에 함께 절을 올림.
예 결혼식을 마친 신랑과 신부는 한복으로 갈아입고 양쪽 집안 어른들께 폐백을 드렸다.

확대 가족 (擴 넓힐 확 + 大 큰 대 + 家 집 가 + 族 겨레 족)
〈'족(族)'의 대표 뜻은 '겨레'야.

Tip 옛날 가족은 대가족, 확장 가족이라고도 하는데, 핵가족에 비해 가족 구성이 복잡하고 가족 수도 많아요.

뜻 부모와 결혼한 자녀가 함께 사는 가족.
예 우리 집은 할아버지, 할머니, 아버지, 어머니, 나, 여동생이 함께 사는 확대 가족이다.

이것만은 꼭!

핵가족 (核 씨 핵 + 家 집 가 + 族 겨레 족)

뜻 부모와 결혼하지 않은 자녀가 함께 사는 가족.
예 윤호네 집은 아버지, 어머니, 누나, 윤호가 함께 사는 핵가족이다.

확인 문제

82~83쪽에서 공부한 낱말을 떠올리며 문제를 풀어 보세요.

1 뜻에 알맞은 낱말을 글자판에서 찾아 묶으세요. (낱말은 가로(─), 세로(│) 방향에 숨어 있어요.)

낱	돌	자	레
설	명		지
막	부	한	식
구	념		사

❶ 해마다 일정하게 지키어 즐기거나 기념하는 때.
❷ 설날이나 추석 같은 명절에 조상에게 올리는 제사.
❸ 설날을 맞이하여 새로 마련해 입거나 신는 옷이나 신발.
❹ 우리나라의 명절 중 하나로 불을 피우지 않고 찬 음식을 먹는 날.

해설 ❶ 해마다 일정하게 지키어 즐기거나 기념하는 때를 뜻하는 낱말은 '명절'입니다. ❷ 설날이나 추석 같은 명절에 조상에게 올리는 제사를 뜻하는 낱말은 '차례'입니다. ❸ 설날을 맞이하여 새로 마련해 입거나 신는 옷이나 신발을 뜻하는 낱말은 '설빔'입니다. ❹ 우리나라의 명절 중 하나로 불을 피우지 않고 찬 음식을 먹는 날을 뜻하는 낱말은 '한식'입니다.

2 다음 뜻을 가진 낱말은 무엇인지 쓰세요.

해마다 일정한 시기에 되풀이하여 행해 온 고유의 풍속.

[세][시][풍][속]

해설 해마다 일정한 시기에 되풀이하여 행해 온 고유의 풍속을 '세시 풍속'이라고 합니다.

3 낱말의 뜻에 맞게 ( ) 안에서 알맞은 말을 골라 ○표 하세요.

(1) **동지** 일 년 중에 (낮 , **밤**)이 가장 긴 날로, 한 해를 스물넷으로 나눈 때 가운데 하나.

(2) **하지** 일 년 중에 (**낮** , 밤)이 가장 긴 날로, 한 해를 스물넷으로 나눈 때 가운데 하나.

해설 '동지'는 일 년 중 밤이 가장 긴 날이고, '하지'는 일 년 중 낮이 가장 긴 날입니다.

4 밑줄 친 낱말을 바르게 사용하지 못한 친구의 이름을 쓰세요.

슬기: 주식에는 수확한 곡식과 과일로 부럼을 지냈어.
지호: 햇곡식 설날 아침이 되면 누구나 일찍 일어나 세수하고 설빔으로 갈아입어.
건우: 정월 대보름과 한식의 세시 풍속에 풍속이 서로 다른 사람들이 하는 일이 다른 기 때문이야.

(슬기)

해설 '부럼'은 정월 대보름 대보름날 이른 아침에 한 해의 건강을 비는 뜻에서 까먹는 호두, 땅콩, 밤 등의 열매를 뜻하는 낱말로, 땅콩 등의 열매를 까먹는 뜻에서 까먹는 것이 알맞습니다.

정답과 해설 ▶ 39쪽

정답과 해설

84~85쪽에서 공부한 낱말을 떠올리며 문제를 풀어 보세요.

5 뜻에 알맞은 낱말을 빈칸에 쓰세요.

	❷ 주	
❶ 혼	인	
	례	

가로 열쇠 ❶
세로 열쇠 ❷

❶ 남자와 여자가 부부가 됨을 알리는 식.
❶ 남자와 여자가 부부가 되는 일.
❷ 결혼식에서 신랑, 신부에게 도움이 되는 이야기를 하고 결혼 순서 등을 진행하는 사람. 또는 그런 일.

해설 ❶ 남자와 여자가 부부가 됨을 알리는 식을 뜻하는 낱말은 '혼례', 남자와 여자가 부부가 되는 일을 뜻하는 낱말은 '혼인'입니다. ❷ 결혼식에서 신랑, 신부에게 도움이 되는 이야기를 하고 결혼 순서 등을 진행하는 사람이나 그런 일을 뜻하는 낱말은 '주례'입니다.

6 낱말의 뜻에 맞게 ( ) 안에서 알맞은 말을 골라 ○표 하세요.

(1) **핵가족** 부모와 (결혼한 , **결혼하지 않은**) 자녀가 함께 사는 가족.

(2) **확대 가족** 부모와 (**결혼한** , 결혼하지 않은) 자녀가 함께 사는 가족.

해설 '핵가족'은 부모와 결혼하지 않은 자녀가 함께 사는 가족, '확대 가족'은 부모와 결혼한 자녀가 함께 사는 가족을 뜻합니다.

7 두 친구가 설명하는 '이것'은 무엇인지 쓰세요.

수현: 이것은 원래 결혼식을 마치고 신부가 신랑의 집안 어른들께 첫인사를 올리던 것을 말해.
재성: 오늘날 결혼식장에서 신랑, 신부가 양쪽 집안에 함께 절을 올리는 것을 이것이라고 해.

(폐백)

해설 '폐백'은 결혼식을 마치고 신부가 신랑의 집안 어른들께 첫인사를 올리던 것을 말합니다. 오늘날에는 결혼식장에서 신랑, 신부가 양쪽 집안에 함께 절을 올리는 것을 말합니다.

8 (1)~(3)에 들어갈 낱말을 완성하세요.

우리 집은 할아버지, 할머니, 부모님 그리고 내가 함께 사는 (1) [확][대][가][족] 이야. 그
런데 몇 달 전, 아빠 회사 때문에 할아버지, 할머니와 따로 살게 되면서 지금은 부모님과 나만
사는 (2) [핵][가][족] 이 되었다. 지난 주말에 할아버지 댁에 갔는데 할아버지께서 안 계셨
다. 할아버지께서는 (3) [주][례]를 보러 결혼식장에 가신 것이었다. 신, 할아버지께서 신랑, 신
부에게 어떤 도움을 하실지 궁금했다.

해설 (1) 할아버지, 할머니, 부모님, 나까지 내가 살았으므로 '확대 가족'이 들어가야 합니다. (2) 지금은 부모님과 나만 산다고 하였으므로 '핵가족'이 들어가야 합니다. (3) 뒤 문장의 내용으로 보아, 주례가 들어가기에 알맞습니다.

수학 교과서 어휘

수록 교과서 수학 3-2 5. 들이와 무게

다음 중 낱말의 뜻을 잘 알고 있는 것에 ✓ 하세요.

□ 들이 □ 리터 □ 밀리리터 □ 두께 □ 두껍다 □ 표시되다

주전자, 물병, 물컵에 물이 얼마나 들어가는지 리터랑 밀리리터에 대해 알아야 해 들이에 관한건데 들이와 들이의 단위를 알아보자.

주전자와 물병, 물컵에 물이 얼마나 들어갈까?

낱말을 읽고, ——— 부분에 알맞은 낱말을 그으면서 낱말 공부를 해 보세요.

들이

뜻 통이나 그릇 안쪽 공간의 크기.
예 물병과 주스병의 들이를 비교하려면 물을 가득 채운 뒤 물병에 옮겨 담아 본다.

공간이 아무것도 없는 빈 곳이나 자리를 뜻하는 낱말이야.

리터

뜻 들이를 나타내는 단위. 1리터는 한 변이 10센티미터인 상자에 담을 수 있는 양으로, 1L라고도 씀.
예 페트병에 콜라가 1.5리터 들어 있다.

이것만은 꼭!

이만큼의 양을 1리터라고 해.
10 cm / 10 cm / 10 cm

밀리리터

뜻 들이를 나타내는 단위. 1밀리리터는 한 변이 1센티미터인 상자에 담을 수 있는 양으로, 1mL라고도 씀.
예 1밀리리터가 1000개 모이면 1리터가 된다.

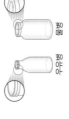

이만큼의 양을 1밀리리터라고 해.
1 cm / 1 cm / 1 cm

두께

뜻 두꺼운 정도.
예 우유병과 물병의 유리 두께를 비교해 보자.

두껍다

뜻 두께가 보통의 정도보다 크다.
예 책이 두껍다.
반대말 얇다
'얇다'는 "두께가 두껍지 않다."라는 뜻이야.
예 책이 얇다.

표시되다

뜻 어떤 내용을 알리는 글자나 숫자 등이 겉에 드러나 보이다.
標 표할 표 + 示 보일 시 + 되다
예 생활에서 들이의 단위가 표시되어 있는 물건을 찾아보자.

수학 교과서 어휘

다음 중 낱말의 뜻을 잘 알고 있는 것에 ✔ 하세요.

□ 그램 □ 킬로그램 □ 톤 □ 저울 □ 포대 □ 단

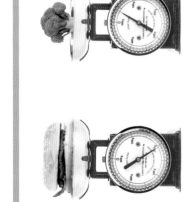

저울로 담고 있네, 햄버거와 브로콜리의 무게를 나타내는 단위는 무엇일까? 무게와 관련된 낱말들을 배워 보면서 그 답을 찾아보자.

낱말을 읽고, ＿＿＿부분에 알맞을 글자를 넣어 공부를 해 보세요.

그램

뜻 무게를 나타내는 단위. 1그램은 1g이라고 씀.
예 10원짜리 동전의 무게는 약 1그램이다.

킬로그램

이것만은 꼭!

뜻 무게를 나타내는 단위. 1킬로그램은 1000그램이며, 1kg이라고 씀.
예 설탕 한 봉지의 무게는 1킬로그램이다.

1kg = 1000g

톤

뜻 무게를 나타내는 단위. 1톤은 1000킬로그램이며, 1t이라고 씀.
예 소방차의 무게는 약 20톤이다.

1t = 1000kg

저울

뜻 물건의 무게를 다는 데 쓰는 기구.
예 저울을 사용하여 과일의 무게를 비교해 보자.

▲ 여러 가지 저울

포대
包쌀 포 + 袋 자루 대

뜻 종이나 가죽, 천 등으로 만든 큰 자루.
예 쌀이 5포대씩 10줄 있으므로 모두 50포대가 있다.

▲ 쌀 포대를 들고 있는 모습

단

뜻 채소, 짚, 땔감 등이 묶음을 세는 단위.
예 시금치 한 단의 무게는 450그램이다.

글자는 같지만 뜻이 다른 낱말 단
'단'은 옷의 끝 가장자리를 안으로 접어 붙이거나 박은 부분이라는 뜻도 있어요. 예 바지 단을 줄이다.

Tip '단'은 수나 양을 나타내는 말 뒤에 쓰여요.

수록 교과서 수학 3-2, 5. 들이와 무게

정답과 해설 ▶ 41쪽

확인 문제

✏ 88~89쪽에서 공부한 낱말을 떠올리며 문제를 풀어 보세요.

1 뜻에 알맞은 낱말을 빈칸에 쓰세요.

	가로 열쇠	❶ 두꺼운 정도.
		❷ 어떤 내용을 알리는 글자나 숫자 등이 곁에 드러나 보이다.
	세로 열쇠	❶ 두께가 보통의 정도보다 크다.

		께
❶ 두		
껍		
다		
❷ 표	시	되	다

해설 | 두께가 정도를 뜻하는 낱말은 '두께'. "어떤 내용을 알리는 글자나 숫자 등이 곁에 드러나 보이다."라는 뜻의 낱말은 '표시되다'. "두께가 보통의 정도보다 크다."라는 뜻의 낱말은 '두껍다'입니다.

2 ( )안에서 알맞은 낱말을 골라 ○표 하세요.

리터와 밀리리터는 (길이,(들이))를 나타내는 단위이다. 한 변이 10센티미터인 상자에 담을 수 있는 양은 1(리터, 밀리리터)이고, 한 변이 1센티미터인 상자에 담을 수 있는 양은 1(리터,(밀리리터))이다.

해설 | '리터'와 '밀리리터'는 들이를 나타내는 단위로, 1리터는 한 변이 10센티미터인 상자에 담을 수 있는 양이고, 1밀리리터는 한 변이 1센티미터인 상자에 담을 수 있는 양입니다.

3 밑줄 친 낱말의 반대말은 무엇인가요? (①)

두께가 두꺼운 병을 물이 적게 들어간다.

① 얇은 ② 작은 ③ 짧은 ④ 가벼운 ⑤ 무거운

해설 | '두껍다'의 반대말은 "두께가 두껍지 않다."라는 뜻을 가진 '얇다'입니다.

4 밑줄 친 낱말의 쓰임이 알맞으면 ○표, 알맞지 않으면 ✕표 하세요.

(1) 이 양동이의 들이는 약 4리터이다. (○)
(2) 마트에서 200리터짜리 우유 좀 사 올까? (✕)
(3) 주스병에 주스가 1리터 1리터 들어 있다고 표시되어 있다. (○)
(4) 세탁 세제의 무게는 4100밀리리터이고, 물의 무게는 2400밀리리터이다. (✕)

해설 | (2) 200리터가 아닌 200밀리리터라고 써야 합니다. (4) 밀리리터는 들이를 나타내는 단위이므로, '무게를 들이도 ...' 고쳐 써야 합니다.

✏ 90~91쪽에서 공부한 낱말을 떠올리며 문제를 풀어 보세요.

5 뜻에 알맞은 낱말을 보기 에서 찾아 사다리를 타고 내려간 곳에 쓰세요.

보기
단   저울   포대

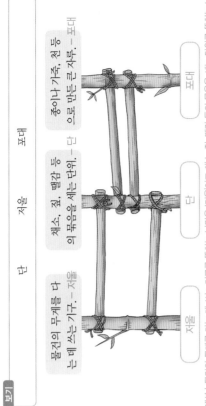

단 / 저울 / 포대

물건의 무게를 다 는 데 쓰는 기구. — 저울
채소, 짚, 땔감 등 의 묶음을 세는 단위. — 단
종이나 가죽, 천 등 으로 만든 큰 자루. — 포대

해설 | 물건의 무게를 다는 데 쓰는 기구를 뜻하는 낱말은 '저울'이고 채소, 짚, 땔감 등의 묶음을 세는 단위를 뜻하는 낱말은 '단'입니다. 종이나 가죽, 천 등으로 만든 큰 자루를 뜻하는 낱말은 '포대'입니다.

6 ( )안에서 알맞은 낱말을 골라 ○표 하세요.

지연: 킬로그램과 톤은 모두 (들이,(무게))를 나타내는 단위야.
수아: 1킬로그램은 1000(톤,(그램))이고, 1톤은 1000 (그램,(킬로그램))이야.

해설 | 킬로그램과 톤은 모두 무게를 나타내는 단위로, 1킬로그램은 1000그램으로, 1톤은 1000킬로그램으로 나타냅니다.

7 빈칸에 들어갈 알맞은 낱말을 찾아 선으로 이으세요.

(1) 강아지의 무게는 약 2 [ ]이다. •   • 저울
(2) 콩 한 개의 무게는 약 100 [ ]이다. •   • 포대
(3) 쌀 한 [ ]의 무게는 20킬로그램 이다. •   • 그램
(4) [ ]에 감자 두 개를 올려 무게를 잴 수 있다. •   • 킬로그램

해설 | (1) 강아지의 무게를 나타내기에 알맞은 낱말은 '킬로그램'입니다. (2) 콩 한 개의 무게를 나타내기에 알맞은 낱말은 '그램'입니다. (3) 쌀이 들어 있는 자루 하나의 무게가 20킬로그램이라는 내용으로, '포대'가 들어가야 합니다. (4) 감자 두 개의 무게를 재었다는 내용으로, '저울'이 들어가야 합니다.

과학 교과서 어휘

수록 교과서 과학 3-2
3. 지표의 변화

다음 중 낱말의 뜻을 잘 알고 있는 것에 ✓ 하세요.
□ 지형 □ 상류 □ 경사 □ 절벽 □ 가파르다 □ 시설물

강 상류와 강 하류, 바다가 주변의 땅은 어떻게 생겼을까? 오늘은 강과 바다가 주변의 지형과 관련된 낱말들을 배우면서 궁금증을 해결해 보자.

낱말을 읽고, ____ 부분에 밑줄을 그으면서 낱말 공부를 해 보세요.

지형
地 땅 지 + 形 모양 형

이것만은 꼭!
뜻 땅의 생김새.
예 바닷가에서 볼 수 있는 지형에는 갯벌, 모래 해변 등이 있다.

바닷가에서 볼 수 있는 지형이야. 바위 가운데에 구멍이 뚫려 있네.

상류
上 위 상 + 流 흐를 류

뜻 강이나 냇물의 윗부분.
예 강 상류에 해당하는 곳은 높은 위치에 있다.
관련 어휘 중류, 하류
'중류'는 강이나 냇물의 중간 부분, '하류'는 강이나 냇물의 아랫부분을 말해.

경사
傾 기울 경 + 斜 비낄 사

Tip '비끼다'는 "한쪽으로 약간 비스듬히 놓이다."라는 뜻이에요.

뜻 비스듬히 기울어짐. 또는 그런 정도.
예 강 상류는 경사가 급하다.

'급하다'는 "경사나 기울기가 심하게 기울어져 있다."라는 뜻이야.

절벽
絶 끊을 절 + 壁 벽 벽

뜻 바위가 아주 높이 솟아 있는 낭떠러지.
예 바닷물이 바위와 만나는 부분을 계속 깎고 무너뜨리면 절벽이 만들어진다.

'낭떠러지'는 깎아지른 듯한 언덕을 말해요.

▲ 절벽

가파르다

뜻 산이나 길이 몹시 기울어져 있다.
예 바위가 가파른 절벽으로 쌓여 있다.

시설물
施 베풀 시 + 設 베풀 설 + 物 물건 물

뜻 어떤 목적을 위하여 만들어 놓은 건물이나 기계 등이 붙음.
예 흙을 보존하기 위한 시설물을 만들어 보자.

시설물의 '물'은 물건 또는 물질의 뜻을 더해 주는 말이야. 시설물처럼 '물'이 붙은 낱말에는 건축물, 농산물 등이 있어.

정답과 해설 ▶ 43쪽

과학 교과서 어휘

수록 교과서 과학 3-2
4. 물질의 상태

다음 중 낱말의 뜻을 잘 알고 있는 것에 ✓ 하세요.
☐ 차지하다 ☐ 부피 ☐ 상태 ☐ 고체 ☐ 액체 ☐ 기체

선물 상자는 고체, 음료수는 액체, 풍선 속 공기는 기체에 해당돼. 그런데 고체, 액체, 기체가 뭘까? 물질의 상태와 그 특성을 배울 때 많이 나오는 낱말들을 알아보자.

✏ 낱말을 읽고, ▨ 부분에 알맞은 말을 그으면서 낱말 공부를 해 보세요.

차지하다
뜻 일정한 공간 등을 이루다.
예 나무 막대를 그릇에 넣으면 일정한 공간을 차지한다.

부피
Tip 부피는 넓이와 높이를 가진 물건이 공간에서 차지하는 크기를 말해요.
뜻 물질이 차지하는 공간의 크기.
예 병의 크기에 따라 담을 수 있는 주스의 부피가 다르다.

부피가 크다. 부피가 작다.

상태
狀 형상 상 + 態 모습 태
뜻 물건이나 현상이 놓여 있는 모양이나 형편.
예 나무 막대, 물, 공기의 상태가 다른 것처럼 우리 주변에 있는 물질의 상태는 서로 다르다.

고체
固 굳을 고 + 體 몸 체
'〈고체〉'의 대표 뜻은 '몸'이야.
뜻 담는 그릇이 바뀌어도 모양과 부피가 일정한 물질의 상태.
예 고체는 눈으로 볼 수 있고 손으로 잡을 수 있다.

▲ 고체인 여러 가지 물체

Tip 단단한 물체만 고체에 해당되는 것은 아니에요. 물질의 모양과 부피가 변하지 않는 가루나 물렁물렁한 플라스틱도 고체에 해당돼요.

이것만은 꼭!

액체
液 진 액 + 體 몸 체
뜻 담는 그릇에 따라 모양은 변하지만 부피는 변하지 않는 물질의 상태.
예 물이나 주스와 같은 액체는 고체와 달리 어떤 모양의 그릇에나 들어갈 수 있다.
Tip 모든 액체가 물과 같거나 물로 만들어진 것은 아니에요. 담는 그릇의 모양에 따라 모양은 변하지만 부피는 변하지 않는 꿀이나 샴푸도 액체에 해당돼요.

기체
氣 기운 기 + 體 몸 체
'〈기체〉'의 대표 뜻은 '기운'이야.
Tip 기체는 공기만을 가리키는 말이 아니에요.
뜻 담는 그릇에 따라 모양과 부피가 변하고, 담긴 그릇을 항상 가득 채우는 물질의 상태.
예 공기처럼 대부분의 기체는 눈에 보이지 않지만, 무게가 있다.

글자는 같지만 뜻이 다른 낱말 **기체**
'기체는 비행기의 몸이 되는 부분'이라는 전혀 다른 뜻도 있다.
예 비행기를 타다 보면 기체가 심하게 흔들릴 때가 있다.

정답과 해설 ▶ 44쪽

확인 문제

96~97쪽에서 공부한 낱말을 떠올리며 문제를 풀어 보세요.

4 낱말의 뜻을 찾아 선으로 이으세요.

(1) 상태 — 물질이 차지하는 공간의 크기.

(2) 부피 — 물건이나 현상이 놓여 있는 모양이나 형편.

(3) 기체 — 담는 그릇에 따라 모양은 변하지만 부피는 변하지 않는 물질의 상태.

(4) 액체 — 담는 그릇에 따라 모양과 부피가 변하고, 담긴 그릇을 항상 가득 채우는 물질의 상태.

해설 | '상태'는 물질이나 현상이 놓여 있는 모양이나 형편을 뜻하는 낱말이고, '부피'는 물질이 차지하는 공간의 크기, '기체'는 담는 그릇에 따라 모양과 부피가 변하고 담긴 그릇을 항상 가득 채우는 물질의 상태, '액체'는 담는 그릇에 따라 모양은 변하지만 부피는 변하지 않는 물질의 상태를 뜻하는 낱말입니다.

5 밑줄 친 낱말의 뜻에 맞게 ( ) 안에서 알맞은 말을 골라 ○표 하세요.

(1) 고무풍선도 교체이다.
→ 담는 그릇이 바뀌어도 모양과 부피가 (변하는 , (일정한)) 물질의 상태.

(2) 빈 병 속의 공기는 눈에 보이지 않지만 병 속 공간을 차지한다.
→ 일정한 공간 등을 ((이루다) , 바꾸다).

해설 | '교체'는 담는 그릇이 바뀌어도 모양과 부피가 일정한 물질의 상태를 뜻하는 낱말이고, '차지하다'는 '일정한 공간 등을 이루다'라는 뜻을 가진 낱말입니다.

6 빈칸에 들어갈 알맞은 낱말을 글자 카드를 이용하여 만들어 쓰세요.

기 고 액 체

상 체 액 가

수 피 부

(1) 철, 고무와 같은 □고□체□는 모양이 변하지 않는다. ❶

(2) 유와 같은 □액□체□는 눈으로 볼 수 있지만 손으로 잡을 수 없다. ❷

(3) 이불 속에 있는 숨이나 탑 사이의 공기를 빼내면 이불이 □부□피□를 줄일 수 있다.

해설 | (1) 모양이 변하지 않는다는 내용으로 보아 '고체'가 들어가야 합니다. (2) 담는 그릇에 따라 모양은 변하지만 부피는 변하지 않는다는 내용으로 보아 '액체'가 들어가야 합니다. (3) 이불 속의 공기를 빼내면 이불이 차지하는 공간의 크기를 줄일 수 있다는 내용으로 '부피'가 들어가야 합니다.

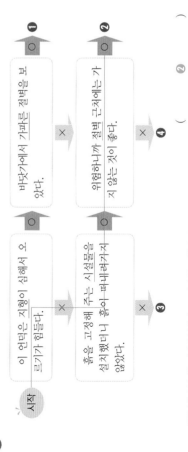

확인 문제

94~95쪽에서 공부한 낱말을 떠올리며 문제를 풀어 보세요.

1 보기 에 있는 글자 카드로 뜻에 알맞은 낱말을 만들어 쓰세요.

보기: 경 벽 물 설 사 시 | 정 | 병

(1) 비스듬히 기울어짐. 또는 그런 정도. → 경 사

(2) 바퀴가 아주 높이 솟아 있는 냉장고. → 절 병 벽

(3) 어떤 목적을 위하여 만들어 놓은 건물이나 가게 등의 물건. → 시 설 물

해설 | (1) 비스듬히 기울어진 것 또는 그런 정도를 뜻하는 낱말은 '경사'입니다. (2) 바위가가 아주 높이 솟아 있는 낭떠러지를 뜻하는 낱말은 '절벽'인 정벽입니다. (3) 어떤 목적을 위하여 만들어 놓은 건물이나 가게 등의 물건을 뜻하는 낱말은 '시설물'입니다.

2 낱말의 뜻에 맞게 ( ) 안에서 알맞은 말을 골라 ○표 하세요.

(1) 지형 — ((땅) , 바다)의 생김새.

(2) 성부 — 강이나 냇물이 ((윗부분) , 아랫부분).

해설 | '지형'은 땅의 생김새, '상부'는 강이나 냇물에서 윗부분을 뜻하는 낱말입니다.

3 밑줄 친 낱말이 알맞게 쓰였는지 ○, ×를 따라가며 선을 긋고 몇 번으로 나오는지 쓰세요.

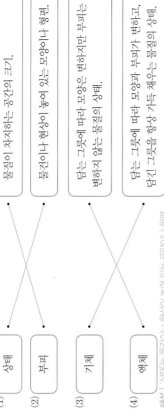

해설 | "이 언덕은 경사가 심해서 오르기가 힘들다."가 바른 문장입니다.

한자 어휘

問 (문)이 들어간 낱말

'問(문)'이 들어간 낱말을 읽고, 부분에 밑줄을 그으면서 낱말 공부를 해 보세요.

問
물을 문

동문서답 · 질문 · 문병 · 위문

'문(問)'은 문과 입을 표현한 글자를 합쳐 만들었어. 문 앞에서 입으로 소리 내어 묻는다는 데서 '문(問)'은 '묻다'라는 뜻을 갖게 되었어. 낱말에서 '문(問)'은 '방문하다'의 뜻도 있어.

Tip 問(문)이 묻다의 뜻으로 쓰인 한자 성어에는 '일문일답'도 있어요. '일문일답'은 한 번 물음에 대해 한 번 대답하는 것을 뜻하는 말이에요.

묻다 問

동문서답 東동녘 동 + 問물을 문 + 西서녘 서 + 答대답할 답
- 뜻 동쪽을 묻는데 서쪽을 대답한다는 뜻으로, 묻는 말과 전혀 상관없는 대답을 말함.
- 예 내 짝은 선생님의 물음에 동문서답을 했다.

질문 質바탕 질 + 問물을 문
- 뜻 모르는 것이나 알고 싶은 것을 물음.
- 예 엄마는 어떤 질문에도 척척 대답해 주신다.
- 반대말 답변
  답변은 물음에 대답하는 것을 말해.
  예 동생은 답변이 어려운 질문을 많이 한다.

방문하다 問

문병 問방문할 문 + 病병 병
- 뜻 아픈 사람을 찾아가 위로함.
- 예 다리를 다쳐 입원한 친구에게 문병을 갔다.
- 비슷한말 병문안
  병문안이란 아픈 사람을 찾아가 위로하는 일을 뜻해.
  예 친구들이 병문안을 왔다.

위문 慰위로할 위 + 問방문할 문
- 뜻 찾아가서 달램.
- 예 가수들이 병원에서 위문 공연을 하였다.

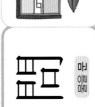

面 (면)이 들어간 낱말

'面(면)'이 들어간 낱말을 읽고, 부분에 밑줄을 그으면서 낱말 공부를 해 보세요.

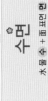

面
낯 면

세면 · 면도 · 사면초가 · 수면

'면(面)'은 사람의 머리둘레와 눈의 모양을 본떠 만든 글자로, 사람의 얼굴을 표현한 것이지. 그래서 '면(面)'은 '낯(얼굴)'이라는 뜻을 나타내. 낱말에서 '면(面)'은 '방향', '표면'의 뜻으로도 쓰여.

낯(얼굴) 面

세면 洗씻을 세 + 面낯 면
- 뜻 물로 얼굴을 씻음.
- 예 이모는 일어나자마자 세면을 하러 갔다.
- 비슷한말 세수
  '세수'도 얼굴을 물로 씻는 것을 뜻하는 낱말이야.
  예 찬물로 세수를 하였다.

면도 面낯 면 + 刀칼 도
- 뜻 얼굴이나 몸에 난 수염이나 털을 깎음.
- 예 며칠 동안 면도를 못했더니 수염이 많이 자랐네.

방향·표면 面

사면초가 四넉 사 + 面방향 면 + 楚초나라 초 + 歌노래 가
- 뜻 사방에서 들리는 초나라의 노래라는 뜻으로, 아무에게도 도움을 받지 못하는 어려운 상황을 말함.
- 예 적군에게 둘러싸여 사면초가에 빠졌다.

수면 水물 수 + 面표면 면
- 뜻 물의 겉면.
- 예 달이 수면에 비쳤다.
- 글자는 같지만 뜻이 다른 낱말 수면
  수면은 잠을 자는 일이란 전혀 다른 뜻도 있어.
  예 규칙적인 수면 습관을 갖자.

확인 문제

✏ 100쪽에서 공부한 낱말을 떠올리며 문제를 풀어 보세요.

1 보기에 있는 글자 카드로 뜻에 알맞은 낱말을 만들어 쓰세요. (같은 글자 카드를 여러 번 쓸 수 있어요.)

보기

| 답 | 동 | 문 | 서 | 위 | 질 |

(1) 찾아가서 만나 줌. →

| 위 | 문 |

(2) 모르는 것이나 알고 싶은 것을 물음. →

| 질 | 문 |

(3) 묻는 말과 전혀 상관없는 대답. →

| 동 | 문 | 서 | 답 |

해설 | (1) 찾아가서 만나 주는 것을 뜻하는 낱말은 '위문'입니다. (2) 모르는 것이나 알고 싶은 것을 묻는 것을 뜻하는 낱말은 '질문'입니다. (3) 묻는 말과 전혀 상관없는 대답을 뜻하는 낱말은 '동문서답'입니다.

2 밑줄 친 '문의 뜻으로 알맞은 것을 골라 ○표 하세요.

(1) 질문 / 방문하다

(2) 묻다 / 질문 / 동답

해설 | '질문'에 쓰인 문은 묻다, 문제에 쓰인 문은 방문하다라는 뜻입니다.

3 밑줄 친 낱말의 반대말은 무엇인가요? (①)

① 답변 ② 응응 ③ 보기 ④ 오답 ⑤ 동문서답

해설 | (1) 아픈 동생을 찾아가 위로하려고 병원에 다녀왔다는 내용으로, '문병'이 들어가야 합니다. (2) 모르는 것이나 알고 싶은 것을 물을 때마다 누나가 친절하게 대답해 준다는 내용으로, '질문'이 들어가야 합니다. (3) 선생님의 질문에 대답을 하지 못해서 무척 창피하였다는 내용으로, '답변'이 들어가야 합니다.

4 ( )안에 들어갈 알맞은 낱말을 보기에서 찾아 쓰세요.

보기

| 질문 | 문병 | 답변 |

(1) 어제 아픈 동생을 (문병)하러 병원에 다녀왔다.

(2) 누나는 내가 (질문)할 때마다 친절하게 대답해 준다.

(3) 선생님의 질문에 (답변)을 하지 못해서 무척 창피하였다.

✏ 101쪽에서 공부한 낱말을 떠올리며 문제를 풀어 보세요.

5 낱말의 뜻을 보기에서 찾아 사다리를 타고 내려간 곳에 기호를 쓰세요.

보기

㉠ 물의 겉면. - 수면
㉡ 물로 얼굴을 씻음. - 세면
㉢ 아무에게도 도움을 받지 못하는 어려운 상황. - 사면초가

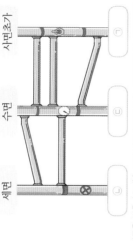

세면   수면   사면초가

| ㉡ | ㉢ | ㉠ |

해설 | '세면'은 물로 얼굴을 씻음을, '수면'은 물의 겉면을, '사면초가'는 아무에게도 도움을 받지 못하는 어려운 상황을 뜻하는 낱말입니다.

6 안의 낱말과 뜻이 비슷한 낱말을 골라 ○표 하세요.

세면   (제수)   면도   세차   세탁

해설 | '세면'과 뜻이 비슷한 낱말은 얼굴을 물로 씻는 것을 뜻하는 '세수'입니다.

7 밑줄 친 '면'이 '얼굴'의 뜻으로 쓰인 것에 ○표 하세요.

(1) 이빠는 아침마다 면도를 한다. (○)

(2) 피구를 했는데 상대편이 다 나를 둘러싸고 있어 사면초가에 빠졌다. ( )

해설 | '사면초가'에 쓰인 '면'은 '방향'의 뜻으로 쓰였습니다.

8 빈칸에 들어갈 낱말을 완성하세요.

(1) 보트가

| 수 | 면 |

위를 빠르게 달린다.

(2)

| 면 | 도 |

를 안 했더니 턱수염이 자라 있었다.

(3)

| 세 | 면 |

을 깨끗이 하고, 수건으로 얼굴의 물기를 닦았다.

해설 | (1) 보트가 물의 겉면 위를 빠르게 달린다는 내용으로, 수면이 들어가야 합니다. (2) 수염을 깎지 않았더니 턱수염이 자라 있었다는 내용으로 '면도'가 들어가야 합니다. (3) 물로 얼굴을 깨끗이 씻고 수건으로 물기를 닦았다는 내용으로, '세면'이 들어가야 합니다.

3주차 어휘력 테스트

3주차 1~5회에서 공부한 낱말을 떠올리며 문제를 풀어 보세요.

낱말 뜻

1 낱말과 그 뜻이 바르게 짝 지어지지 않은 것은 무엇인가요? (③)
① 지형 - 땅의 생김새.
② 둘이 - 통이나 그릇 안쪽 공간의 크기.
③ 차지하다 - 산이나 길이 몹시 기울어져 있다.
④ 확대 가족 - 부모와 결혼한 자녀가 함께 사는 가족.
⑤ 헤아리다 - 어떤 일을 짐작하거나 미루어 생각하다.

해설 | '차지하다'는 "일정한 공간이나 물을 이루다."라는 뜻이 낱말입니다. "산이나 길이 몹시 기울어져 있다."라는 뜻을 가진 낱말은 '가파르다'입니다.

낱말 뜻
2~4 다음 낱말의 뜻으로 알맞은 것에 ○표 하세요.

2 고려하다
(1) 생각하고 헤아려 보다. (○)
(2) 어떤 일에 모든 힘을 쓴다. ( )

해설 | '고려하다'는 "생각하고 헤아려 보다."라는 뜻이 낱말입니다. (2)는 '집중하다'의 뜻입니다.

3 동문서답
(1) 묻는 말과 전혀 상관없는 대답. (○)
(2) 아무에게도 도움을 받지 못하는 어려운 상황. ( )

해설 | '동문서답'은 묻는 말과 전혀 상관없는 대답을 뜻하는 낱말입니다. (2)는 '사면초가'의 뜻입니다.

4 감정
(1) 거짓이 없는 진실한 마음. ( )
(2) 일이나 물건 등에 대한 느낌이나 기분. (○)

해설 | '감정'은 일이나 물건 등에 대한 느낌이나 기분을 뜻하는 낱말입니다. (1)은 '진심'의 뜻입니다.

비슷한말
5 뜻이 비슷한 낱말끼리 짝 지어진 것은 무엇인가요? (④)
① 상류 - 증류
② 동지 - 하지
③ 두껍다 - 얇다
④ 평소 - 평상시
⑤ 당황하다 - 태연하다

해설 | '평소'와 뜻이 비슷한 낱말은 특별한 일이 없는 보통 때를 뜻하는 낱말인 '평상시'입니다.

104 어휘력 2학기 문해력이다

글자는 같지만 뜻이 다른 낱말
6 밑줄 친 낱말의 뜻을 찾아 선으로 이으세요.

채소, 김, 빨감 등의 묶음을 세는 단위.

임무 두 단만 주세요.

윗의 끝 가장자리를 안으로 접어 붙이거나 박은 부분.

해설 | "임무 두 단만 주세요."에 쓰인 '단'은 채소, 김, 빨감 등의 묶음을 세는 단위를 뜻합니다.

여러 가지 뜻을 가진 낱말
7 빈칸에 공통으로 들어갈 알맞은 낱말은 무엇인가요? (③)
• 사고의 원인을 □□.
• 손전등으로 어두운 곳을 □□.
① 묻다
② 막히다
③ 밝히다
④ 비추다
⑤ 단하다

해설 | 빈칸에 공통으로 들어갈 낱말은 '밝히다'입니다. "사고의 원인을 밝히다."에 쓰인 '밝히다'는 "모르거나 알려지지 않은 사실을 알리다."라는 뜻이고, "손전등으로 어두운 곳을 밝히다."에 쓰인 '밝히다'는 "어두운 곳을 환하게 하다."라는 뜻을 뜻합니다.

낱말 활용
8~10 ( ) 안에 들어갈 알맞은 낱말을 보기 에서 찾아 쓰세요.

보기
경사   진심   접종

8 하급 임원 선거에서 반장으로 뽑힌 것은 (진심)(으)로 축하해.
해설 | 반장으로 뽑힌 것을 진심한 마음으로 축하한다는 내용으로, '진심'이 들어가야 합니다.

9 만화책을 (접종)해서 보느라고 엄마가 부르는 소리를 못 들었다.
해설 | 만화책을 보는 일에 모든 힘을 쏟아 엄마가 부르는 소리를 못 들었다는 내용으로, '접종'이 들어가야 합니다.

10 우리 집 뒤에 있는 산은 (경사)이/가 급하지 않아서 어린이도 쉽게 오를 수 있다.
해설 | 우리 집 뒤에 있는 산은 기울어진 정도가 급하지 않다는 내용으로, '경사'가 들어가야 합니다.

3주차 어휘력 테스트_정답과 해설

어휘가
문해력
이다

초등 3학년 2학기

4주차 정답과 해설

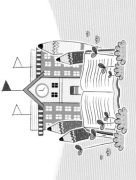

4주차 1회 국어 교과서 어휘

수록 교과서 국어 3-2 ㉯
7. 글을 읽고 소개해요 ~
8. 글의 흐름을 생각해요

다음 중 낱말의 뜻을 잘 알고 있는 것에 ✓하세요.
□ 독서 감상문 □ 책갈피 □ 전시하다 □ 시간 흐름 □ 장소 변화 □ 주의하다

낱말을 읽고, 🖊 부분에 답글을 그으면서 낱말 공부를 해 보세요.

독서 감상문
讀 읽을 독 + 書 글 서 + 感 느낄 감 + 想 생각할 상 + 文 글월 문

이것만은 꼭!

뜻 책을 읽은 뒤에 책을 읽게 된 까닭, 책 내용, 인상 깊은 부분, 생각이나 느낌 등을 쓴 글.
예 독서 감상문을 쓸 때에는 책의 모든 내용을 다 쓰지 않고 중요한 내용이나 사건을 중심으로 쓴다.
Tip 독서 감상문은 책을 읽고 나서 새롭게 알게 된 것이나 가장 기억에 남는 장면, 느낌 등의 같은 것을 쓴 글이에요.

이 책을 읽고
책 내용과 생각이나
느낌 등을 정리해서 독서
감상문을 써야지.

책갈피
冊 책 책 + 갈피

뜻 읽던 곳이나 필요한 곳을 찾기 쉽도록 책의 낱장 사이에 끼워 두는 물건.
예 책을 읽고 기억에 남는 문장을 책갈피 앞쪽에 쓰고 그 까닭을 책갈피 뒤쪽에 쓴다.
관련 어휘 **갈피**
'갈피'는 겹치거나 여러 겹으로 붙인 물건의 사이를 말해.

전시하다
展 펼 전 + 示 보일 시 + 하다

뜻 물건, 작품 같은 것을 한곳에 차려 놓고, 사람들에게 보여 주다.
예 독서 감상문으로 교실을 꾸미는 방법 중에서 독서 감상문을 복도에 전시하다.

시간 흐름
時 때 시 + 間 사이 간 + 흐름

뜻 일이 일어난 때가 달라진 것.
예 '열 시', '숙제를 마지막까지', '저녁에'는 시간 흐름을 알 수 있는 표현이다.
열 시 → 숙제를 마지막까지 → 저녁에
▲ 시간 흐름을 알 수 있는 표현

장소 변화
場 마당 장 + 所 곳 소 + 變 변할 변 + 化 될 화

뜻 일이 일어난 곳이 달라진 것.
예 '학교', '직업 체험관', '집'은 장소 변화를 알 수 있는 표현이다.
학교 → 직업 체험관 → 집
▲ 장소 변화를 알 수 있는 표현
ↆ '소재(所在)'의 대표 뜻은 '있음'이야.

주의하다
注 물댈 주 + 意 뜻 의 + 하다

뜻 마음속에 깊이 기억하고 조심하다.
예 감기약 주스와 같은 음료수와 먹지 않도록 주의해야 한다.
비슷한말 **조심하다**
'조심하다'는 "잘못이나 실수가 없도록 말이나 행동에 신경을 쓰다."라는 뜻이야.
예 실수를 하지 않도록 조심하자.
ↆ '주의(注意)'의 대표 뜻은 '뜻이야.

꼭! 알아야 할 속담

반칸
채우기
[꼭]으로 매주를 쑨다 하여도 굳어지지 않는다는 아무리 사실대로 말하여도 믿지 않음을 이르는 말입니다.

4주차 1회

국어 교과서 어휘

수록 교과서 국어 3-2 ④
9. 작품 속 인물이 되어

다음 중 낱말의 뜻을 잘 알고 있는 것에 ✓ 하세요.

☐ 성격 ☐ 연극 ☐ 극본 ☐ 퇴장하다 ☐ 관람하다 ☐ 진지하다

✏️ 낱말을 읽고, 부분에 알맞은 낱말을 그으면서 낱말 공부를 해 보세요.

성격
性 성품 성 + 格 인품 격
↳ '격(格)'의 대표 뜻은 '격식'이야.

뜻 한 사람이 가지고 있는 성질.
예 홍길동이 부탁을 무시하지 못한 나그네는 덤벙이를 못하는 낱말이야.

비슷한말 **성품**
'성품'은 한 사람의 성질이나 성품을 뜻하는 낱말이야.
예 선생님께서는 성품을 너그러우시다.

연극
演 연극 연 + 劇 연극 극
↳ '극(劇)'의 대표 뜻은 '심하다'이야.

뜻 배우가 무대 위에서 지어진 이야기에 따라 어떤 사건이나 인물에 대해 말과 동작으로 관객에게 보여 주는 것.
예 연극에서 자신이 맡은 역할의 인물에게 어울리는 표정, 몸짓, 말투를 성상해 보자.

'사건'은 이야기 속에서 일어나는 일음.
'인물'은 이야기 속에 나오는 사람을 말해.

극본
劇 연극 극 + 本 책 본
↳ '극(劇)'의 대표 뜻은 '연극'이야.

뜻 영화나 연극, 드라마를 만들기 위해 쓴 글.
예 이 글은 연극을 하기 위해 쓴 극본으로 표정, 몸짓, 말투를 직접 알려 주는 부분이 있다.

이것만은 꼭!
'누구'를 '가본'이라고 하기도 해.

퇴장하다
退 물러날 퇴 + 場 무대 장 + 하다
↳ '장(場)'의 대표 뜻은 '마당'이야.

뜻 연극 무대에서 등장인물이 무대 밖으로 나가다.
예 무대에서 인물이 퇴장할 곳을 정해 보자.

반대말 **등장하다**
'등장하다'는 "무대 등에 나오다."라는 뜻이야.
예 가수가 무대 위로 등장하였다.

관람하다
觀 볼 관 + 覽 볼 람 + 하다

뜻 연극, 영화, 운동 경기 등을 구경하다.
예 연극을 관람할 때에는 조용히 해야 한다.

비슷한말 **보다**
'보다'는 "눈으로 대상을 즐기거나 감상하다."라는 뜻이야.
예 우리 가족은 한 달에 한 번씩 연극을 보러 간다.

진지하다
眞 참 진 + 摯 지극할 지 + 하다
↳ '지(摯)'의 대표 뜻은 '정답이'야.

뜻 태도나 행동 등이 장난기가 없고 바르다.
예 연극을 관람하는 친구는 진지한 자세로 보아 한다.

뜻 알아야 할 관용어

○표 하기

'(가슴이 시원하다 / 가슴이 콩알만 하다)'는 "불안하고 초조하여 움츠러들다."라는 뜻입니다.

확인 문제

108~109쪽에서 공부한 낱말을 떠올리며 문제를 풀어 보세요.

1 뜻에 알맞은 말을 보기 에서 찾아 쓰세요.

보기
책갈피   장소 변화   시간 흐름

(1) (장소 변화): 일이 일어난 곳이 달라진 것.
(2) (시간 흐름): 일이 일어난 때가 달라진 것.
(3) (책갈피): 읽던 곳이나 필요한 곳을 찾기 쉽도록 책 사이에 끼워 두는 물건.

해설 | (1) 일이 일어난 곳이 달라진 것을 뜻하는 말은 '장소 변화'입니다. (2) 일이 일어난 때가 달라진 것을 뜻하는 말은 '시간 흐름'입니다. (3) 읽던 곳이나 필요한 곳을 찾기 쉽도록 책 사이에 끼워 두는 물건을 뜻하는 낱말은 '책갈피'입니다.

2 낱말의 뜻에 맞게 ( ) 안에서 알맞은 말을 골라 ○표 하세요.

전시하다
물건, 작품 같은 것을 한곳에 차려 놓고, 사람들에게 (돌려주다, (보여 주다)).

해설 | '전시하다'는 '물건, 작품 같은 것을 한곳에 차려 놓고, 사람들에게 보여 주다.'라는 뜻이 낱말입니다.

3 밑줄 친 낱말과 뜻이 비슷한 낱말에 ○표 하세요.

주의하면 좋은 실을 넣은 동안 실이 풀어지지 않도록 실 세 가닥을 단단히 잡아야 한다는 것이다.

(주장함, (조심함), 안심함)

해설 | '주의하다'와 뜻이 비슷한 낱말은 '잘못이나 실수가 없도록 마음에 새김을 두다.'라는 뜻의 '조심하다'입니다.

4 빈칸에 들어갈 알맞은 낱말을 글자 카드를 이용하여 만들어 쓰세요.

(1) 길이 미끄러우니 넘어지지 않도록 [주][의] 해라.
주 사 의 변

(2) 읽던 책에 [책][갈][피] 를 끼워 두면 나중에 읽었던 부분을 찾기 쉽다.
갈 피 책 장

(3) 자신이 읽은 책 중에서 한 권을 정해 [독][서] 감상문을 써 보자.
독 전 시 서

해설 | (1) 넘어지지 않도록 조심하라는 내용으로, 주의가 들어가야 한다. (2) 책의 낱말 사이에 끼워 두는 물건은 '책갈피'이다. (3) 읽은 책 중에서 한 권을 정해 읽는 내용으로 독서가 들어가야 한다.

110~111쪽에서 공부한 낱말을 떠올리며 문제를 풀어 보세요.

5 뜻에 알맞은 낱말을 빈칸에 쓰세요.

(1) ①[연][극] ②[본]

가로 열쇠 ① 배우가 무대 위에서 지어진 이야기에 따라 어떤 사건이나 인물에 대해 말과 동작으로 관객에게 보여 주는 것.
세로 열쇠 ② 영화나 연극, 드라마를 만들기 위해 쓴 글.

(2)
②[관]
[진][지][하][다]
[람]
[다]

가로 열쇠 ① 태도나 행동 등이 장난기가 없고 바르다.
세로 열쇠 ② 연극, 영화, 운동 경기 등을 구경하다.

6 빈칸에 공통으로 들어갈 알맞은 낱말을 쓰세요.

(1) 한 사람이 가지고 있는 성질을 '[성격]'이라고 한다.
(성격)

(2) '등장하다'는 '[무대] 등에 나오다.'라는 뜻이다.
(무대)

7 밑줄 친 낱말을 바르게 사용한 친구의 이름을 쓰세요.

(윤호)

평등

平 평평할 평 + 等 무리 등
'등(等)'의 대표 뜻은 '무리'야.

뜻 의무, 자격 등이 차별 없이 똑같음.
예 남자와 여자는 평등하다.

반대말 **불평등**
'불평등'은 차별이 있어 평등하지 않은 것을 뜻해.
예 옛날에는 신분이 낮아 불평등을 겪는 사람들이 있었다.

의식

意 뜻 의 + 識 알 식
'의(意)'의 대표 뜻은 '뜻'이야.

뜻 물건이나 일에 대한 의견이나 생각.
예 요즘에는 남녀가 평등하다는 의식이 높아져 집안일에도 남녀의 구분이 없어졌다.

글자는 같지만 뜻이 다른 낱말 **의식**
'의식'은 정해진 방법이나 차례에 따라 치르는 행사라는 뜻과는 전혀 다른 뜻도 있어.
예 현충일 기념 의식이 시작되었다.

갈등

葛 칡 갈 + 藤 등나무 등

Tip '갈등'은 칡과 등나무가 서로 얽히는 것을 뜻하는 것과 같이, 개인이나 집단 사이에서 서로 부딪치는 것을 말해요.

뜻 서로 생각이나 마음이 맞지 않아 부딪치는 것.
예 가족 구성원 사이에 서로 생각이 달라 갈등이 일어나기도 한다.

비슷한말 **마찰**
'마찰'도 서로 생각이나 의견이 달라 부딪치는 것을 뜻해.
예 가까운 친구 사이라도 마찰이 생길 수 있다.

협력하다

協 화합할 협 + 力 힘 력 + 하다

뜻 힘을 합해 서로 돕다.
예 가족 구성원 간에 생기는 갈등을 해결하려면 갈등을 해결하는 서로 협력하는 자세가 필요하다.

비슷한말 **협동하다**
'협동하다'는 "서로 마음과 힘을 하나로 합하다."라는 뜻이야.
예 친구들과 협동하여 교실을 예쁘게 꾸몄다.

4주차 2회

사회 교과서 어휘

수록 교과서 사회 3-2
3. 가족의 형태와 역할 변화

다음 낱말의 뜻을 짐작할 수 있고 있는 것에 ✓ 하세요.

☐ 가족 구성원 ☐ 기회 ☐ 평등 ☐ 이식 ☐ 갈등 ☐ 협력하다

사회가 변화하면서 가족 구성원의 역할도 변화했어. 그 까닭과 바람직한 가족 구성원의 역할에 대해 생각하며 관련된 낱말들을 배워 보자.

낱말을 읽고, 문장에 알맞은 낱말을 그으면서 낱말 공부를 해 보세요.

가족 구성원

家 집 가 + 族 겨레 족 + 構 얽을 구 + 成 이룰 성 + 員 인원 원
'구(構)'의 대표 뜻은 '얽다'야.

뜻 가족을 이루고 있는 사람.
예 진주네 가족 구성원은 아버지, 어머니, 진주이다.

관련 어휘 **구성원**
'구성원은 어떤 조직이나 단체를 이루고 있는 사람을 말해.

이것만은 꼭!

기회

機 기회 기 + 會 모일 회
'기(機)'의 대표 뜻은 '기회', '회(會)'의 대표 뜻은 '모이다'야.

뜻 어떤 일을 하기에 알맞은 때.
예 오늘날에는 남자와 여자가 교육 받을 기회가 같아졌다.

입양하다
人 들 입 入 + 養 기를 양 養 + 하다

뜻 자신이 낳지 않은 사람을 자식으로 삼다.
예 한 살 아기를 입양한 고모는 이제 세 아이의 엄마가 되었다.

'삼다'는 누구가를 자기와 관계있는 사람으로 만드는다는 뜻이야.

어우러지다

뜻 여럿이 사귀어 잘 어울리거나 어떤 분위기를 같이 만든다.
예 다양한 형태의 가족이 어우러질 때 아름다운 사회를 이룰 수 있다.

비슷한말 **어울리다**
'어울리다'는 "함께 사귀어 잘 지내거나 어떤 무리에 끼어 같이 활동하게 되다."라는 뜻이야.
예 나는 사람들과 잘 어울리는 편이다.

보금자리

뜻 지내기에 매우 편안하고 따뜻한 곳.
예 우리 가족이 살 새로운 보금자리를 마련하였다.

여러 가지 뜻을 가진 낱말 **보금자리**
'보금자리'는 새가 알을 낳거나 살기 위해 풀, 나뭇가지 등을 엮어 만든 둥근 모양의 집이라는 뜻도 있어.
예 지붕에 새들이 보금자리를 만들었다.

이산가족
離 떠날 이 離 + 散 흩을 산 散 + 家 집 가 家 + 族 일가 족 族

뜻 전쟁 등 여러 가지 사정으로 이리저리 흩어져서 서로 소식을 모르는 가족.
예 6·25 전쟁 이후 서로 헤어진 가족을 '이산가족'이라고 부른다.

▲ 남북 이산가족이 만나는 모습

4주차 2회

사회 교과서 어휘

수록 교과서 사회 3-2
3. 가족의 형태와 역할 변화

다음 중 낱말의 뜻을 잘 알고 있는 것에 ✓ 하세요.
□ 다양하다 □ 살아가다 □ 입양하다 □ 어우러지다 □ 보금자리 □ 이산가족

우리 사회는 다양한 형태의 가족들이 모여서 구성되었어. 형태나 모습은 다르지만 모두 가족이야. 다양한 가족이 살아가는 모습을 생각하며 관련된 낱말들을 공부해 보자.

낱말을 읽고, ＿＿ 부분에 알맞은 낱말을 그으면서 낱말 공부를 해 보세요.

다양하다
多 많을 다 多 + 樣 모양 양 樣 + 하다

이것만은 꼭!
뜻 색깔, 모양, 종류, 내용 등이 여러 가지로 많다.
예 가족의 형태는 매우 다양하다.

▲ 다양한 직업을 가진 사람들

살아가다

뜻 생활을 해 나가다.
예 가족마다 형태나 구성원이 다르기 때문에 살아가는 모습도 다양하다.

비슷한말 **생활하다**
'생활하다'는 "사람이나 동물이 일정한 환경에서 살아가다."라는 뜻이야.
예 고래는 바다에서 생활한다.

확인 문제

114~115쪽에서 공부한 낱말을 떠올리며 문제를 풀어 보세요.

1 낱말의 뜻을 보기 에서 찾아 사다리를 타고 내려간 곳에 기호를 쓰세요.

보기
㉠ 가족을 이루고 있는 사람. - 가족 구성원
㉡ 어떤 일을 하기에 알맞은 때. - 기회
㉢ 의무, 자격 등이 차별 없이 똑같음. - 평등
㉣ 서로 생각이나 마음이 맞지 않아 부딪치는 것. - 갈등

갈등   기회   평등   가족 구성원

해설 | 갈등은 서로 생각이나 마음이 맞지 않아 부딪치는 것, '기회'는 어떤 일을 하기에 알맞은 때, '의식'은 의무, 자격 등이 차별 없이 똑같음, '가족 구성원'은 가족을 이루고 있는 사람을 뜻하는 낱말입니다.

2 낱말의 뜻에 맞게 빈칸에 들어갈 말을 완성하세요.

(1) 협력하다: 힘을 합해 서로 [도] [와] [주] [다].

(2) 의식: 물건이나 일에 대한 [이] [진] [이] [나] [생] [각].

해설 | '협력하다'는 "힘을 합해 서로 돕다.", '의식은 물건이나 일에 대한 의견이나 생각을 뜻하는 낱말입니다.

3 밑줄 친 낱말을 바르게 사용하지 못한 친구의 이름을 쓰세요.

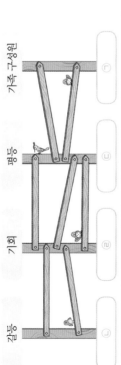

석민 / 정우 / 유미

(   )

해설 | 정우는 '가족 구성원 간에 서로 생각이 다르면 갈등이 일어나기도 해.'라고 말해야 합니다.

116~117쪽에서 공부한 낱말을 떠올리며 문제를 풀어 보세요.

4 보기 에 있는 글자 카드로 뜻에 알맞은 낱말을 만들어 쓰세요. (같은 글자 카드를 여러 번 쓸 수 있어요.)

보기
[양] [다] [신] [이] [입]

(1) 자신이 낳지 않은 사람을 자식으로 삼다. → [입] [양] [하다]
(2) 색깔, 모양, 종류, 내용 등이 여러 가지로 많다. → [다] [양] [하다]
(3) 전쟁 등 여러 가지 사정으로 이리저리 흩어져서 서로 소식을 모르는 가족. → [이] [산] [가] [족]

해설 | (1) '자신이 낳지 않은 사람을 자식으로 삼다.'라는 뜻을 가진 낱말은 '입양하다'입니다. (2) '색깔, 모양, 종류, 내용 등이 여러 가지로 많다.'라는 뜻을 가진 낱말은 '다양하다'입니다. (3) '전쟁 등 여러 가지 사정으로 이리저리 흩어져서 서로 소식을 모르는 가족'을 뜻하는 낱말은 '이산가족'입니다.

5 친구들의 물음에 알맞은 답을 쓰세요.

(1) 지내기에 매우 편안하고 따뜻한 곳을 뜻하는 낱말은? → [보] [금] [자] [리]

(2) "생활을 해 나가다"라는 뜻을 가진 낱말은? → [살] [이] [가] [다]

해설 | (1)의 친구는 '보금자리', (2)의 친구는 '살아가다'의 뜻을 찾았습니다.

6 ( ) 안에 들어갈 알맞은 낱말을 보기 에서 찾아 쓰세요.

보기
다양한   입양하여   어우러져

(1) 선생님과 학생들이 (어우러져) 축구를 했다.
(2) 오늘날에는 자식을 (입양하여) 가족을 이루고 사는 집이 많다.
(3) 우리 사회에는 (다양한) 형태의 가족이 여러 가지 모습으로 함께 살아가고 있다.

해설 | (1) 선생님과 학생들이 어울려 축구를 했다는 내용으로, 어우러져가 들어가야 합니다. (2) 자식이 낳지 않은 사람을 자식으로 삼아 가족을 이루고 사는 집이 많다는 내용으로, '입양하여'가 들어가야 합니다. (3) 여러 가지 형태의 가족이 함께 살아가고 있다는 내용으로, 다양한이 들어가야 합니다.

4주차 3회

수학 교과서 어휘

수록 교과서 수학 3-2
6. 자료의 정리

다음 중 낱말의 뜻을 잘못 알고 있는 것에 ✓ 하세요.

□ 정리　□ 조사하다　□ 한눈　□ 알아보다　□ 고르다　□ 수집하다

친구들이 좋아하는 과일에 대해 조사한 것을 표로 나타내었더니 한눈에 알아볼 수 있지? 오늘은 표와 관련된 낱말들에 대해 알아보자.

한눈에 알아볼 수 있어.

조사한 자료를 표로 나타내었네.

좋아하는 과일

과일	배	바나나	딸기	복숭아
학생 수(명)	5	5	10	4

낱말을 읽고, ▭ 부분에 알맞은 낱말을 그으면서 낱말 공부를 해 보세요.

이것만은 꼭!

정리
整 가지런할 정 + 理 다스릴 리

뜻 종류에 따라 짜임새 있게 나누거나 모음.
예 운동회에서 친구들이 하고 싶어 하는 경기를 표로 정리하였다.

여러 가지 뜻을 가진 낱말 정리
'정리'는 흐트러지거나 어수선한 상태에 있는 것을 한데 모으거나 치우는 것이라는 뜻도 있어.
예 엄마께서 장난감 정리를 시키셨다.

조사하다
調 조사할 조 + 査 조사할 사 + 하다

뜻 어떤 일이나 내용을 알기 위하여 자세히 살펴보거나 찾아보다.
예 우리 반 학생들이 좋아하는 학교 행사는 무엇인지 조사했다.

한눈

뜻 ① 눈으로 한 번에 볼 수 있는 범위.
예 조사한 내용을 표로 나타내면 알 수 있다.

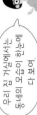

우리 집 거실에서는 동네의 모습이 한눈에 다 보여.

알아보다

뜻 눈으로 보고 구별하여 안다.
예 붙임딱지 붙이기 방법으로 조사한 내용을 나타내면 한눈에 알아보기 쉽다.

고르다

뜻 여럿 중에서 어떤 것을 뽑다.
예 모둠별로 고른 조사 방법으로 자료를 모아 보자.

글자는 같지만 뜻이 다른 낱말 고르다
'고르다'는 "높낮이, 크기, 모양 등이 차이가 없이 같다."라는 전혀 다른 뜻으로도 쓰여.
예 사과의 크기가 고르다.

수집하다
蒐 모을 수 + 集 모을 집 + 하다

뜻 취미나 연구를 위하여 물건이나 자료 등을 찾아서 모으다.
예 우리 모둠은 빠른 시간에 자료를 수집하고 싶어서 직접 손 들기 방법을 선택했다.

비슷한말 모으다
'모으다'는 "특별한 물건을 구하여 갖추다."라는 뜻으로 "여러 개의 것을 한곳에 합치다."라는 뜻도 모두 있는 것이다.
예 아빠의 취미는 우표를 모으는 것이다.

4주차 3회

수학 교과서 어휘

다음 중 낱말의 뜻을 잘 알고 있는 것에 ✓ 하세요.

☐ 그림그래프 ☐ 완성하다 ☐ 복잡하다 ☐ 일일이 ☐ 세다 ☐ 횟수

수록 교과서 수학 3-2 | 6. 자료의 정리

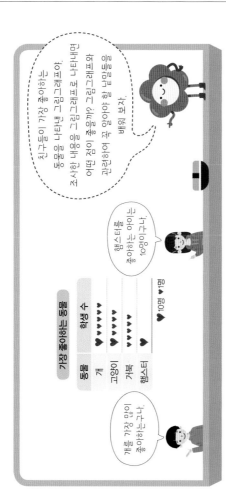

친구들이 가장 좋아하는 동물을 나타낸 그림그래프야. 조사한 내용을 그림그래프로 나타내면 어떤 점이 좋은지 그림그래프와 관련하여 꼭 알아야 할 낱말들을 배워 보자.

햄스터를 좋아하는 아이는 10명이구나.

개를 가장 많이 좋아하는구나.

가장 좋아하는 동물

동물	학생 수
개	♥♥♥♥♥
고양이	♥♥♥♥
거북	♥♥♥ ♥
햄스터	♥

♥ 10명 ♥ 1명

복잡하다
複 겹칠 복 + 雜 섞일 잡 + 하다

뜻 여러 가지가 뒤섞여 있다.
예 조사한 내용을 그림그래프로 나타낼 때 복잡한 그림은 간단히 그려야 한다.
반대말 **간단하다**
'간단하다'는 "길거나 복잡하지 않다."라는 뜻이야.
예 이 제품은 사용하는 방법은 간단하다.

일일이
一 하나 일 + 一 하나 일 + 이

뜻 하나씩 하나씩.
예 그림그래프에 조사한 내용이 빠짐없이 들어가 있는지 일일이 확인해 보자.
비슷한말 **하나하나**
'하나하나'도 "하나씩 하나씩."이라는 뜻이야.
예 색연필에 이름표를 하나하나 붙였다.

세다

뜻 수를 헤아리다.
예 표는 그림그래프와 다르게 그림을 일일이 세지 않아도 된다.
글자는 같지만 뜻이 다른 낱말 **세다**
'세다'는 "힘이 많다."라는 전혀 다른 뜻도 있어.
예 내가 형보다 힘이 세다.

횟수
回 돌아올 회 + 數 셈 수

뜻 돌아오는 차례의 수.
예 친구들과 줄넘기를 한 횟수를 표로 나타내었다.

낱말을 읽고, 부분에 알맞은 말을 그으면서 낱말 공부를 해 보세요.

그림그래프

Tip 그림그래프는 자료를 점, 선, 막대 등을 사용하여 나타낸 다른 그래프와는 다르게 그림을 사용하여 나타낸 것을 말해요.

뜻 알려고 하는 수(조사한 수)를 그림으로 나타낸 그래프.
예 우리 반 학생들이 도서관에서 빌린 책을 나타낸 그림그래프에서 그림이 나타내는 수가 얼마인지 알아보자.

이것만은 꼭!

우리 반 학생들이 도서관에서 빌린 책

종류	책의 수
동화책	
위인전	
과학책	

▨ 10권 ▨ 1권

완성하다
完 완전할 완 + 成 이룰 성 + 하다

뜻 완전하게 다 이루다.
예 학생 수에 맞게 그림으로 나타내어 그림그래프를 바르게 완성해 보자.
반대말 **미완성하다**
'미완성하다'는 "아직 덜 하다."라는 뜻이야.
예 그림을 미완성한 채로 냈다.

확인 문제

오른쪽 면 (125)

✏️ 122~123쪽에서 공부한 낱말을 떠올리며 문제를 풀어 보세요.

5 다음 뜻을 가진 낱말을 완성하세요.

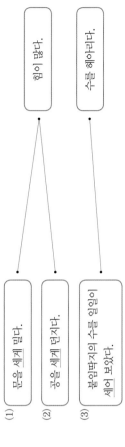

(1) 들어오는 차례의 수. → 횟 수

(2) 완전하게 다 이루다. → 완 성 하 다

(3) 여러 가지가 뒤섞여 있다. → 복 잡 하 다

(4) 알려고 하는 수(조사한 수)를 그림으로 나타낸 그래프. → 그 림 그 래 프

해설 | (1) 들어오는 차례를 뜻하는 낱말은 '횟수'입니다. (2) '완전하게 다 이루다.'라는 뜻을 가진 낱말은 '완성하다'입니다. (3) '여러 가지가 뒤섞여 있다.'라는 뜻을 가진 낱말은 '복잡하다'입니다. (4) 알려고 하는 수(조사한 수)를 그림으로 나타낸 그래프를 뜻하는 낱말은 '그림그래프'입니다.

6 ( ) 안에서 알맞은 낱말을 골라 ○표 하세요.

친구들에게 좋아하는 동물이 무엇인지 (가까이, **일일이**) 물어보고 표로 나타내었다.

해설 | ( ) 안에 들어갈 알맞은 낱말은 하나씩 하나씩이라는 뜻을 가진 '일일이'입니다.

7 밑줄 친 낱말의 뜻을 찾아 선으로 이으요.

(1) 모을 세게 <u>일다</u>.

(2) 공을 세게 <u>던지다</u>.   힘이 많다.

(3) 붙임딱지의 수를 일일이
세어 보았다.   수를 헤아리다.

해설 | (1)과 (2)에 쓰인 '세다'는 '힘이 많다.'라는 뜻입니다. (3)에 쓰인 '세다'는 '수를 헤아리다.'라는 뜻입니다.

8 밑줄 친 낱말의 쓰임이 알맞으면 ○표, 알맞지 않으면 ✕표 하세요.

(1) 제기를 찬 <u>횟수</u>를 표로 나타내었다. (○)

(2) 지난주부터 그린 그림을 드디어 <u>복잡했다</u>. (✕)

(3) 채란이의 <u>수</u>를 완성해 보았더니 3개가 있었다. (✕)

해설 | (2) '지난주부터 그린 그림을 드디어 완성했다.'가 알맞은 문장입니다. (3) '케란이의 수를 세어 보았더니 3개가 있었다.'가 알맞은 문장입니다.

왼쪽 면 (124)

✏️ 120~121쪽에서 공부한 낱말을 떠올리며 문제를 풀어 보세요.

1 보기에 있는 글자 카드로 뜻에 알맞은 낱말을 만들어 쓰세요. (같은 글자 카드를 여러 번 쓸 수 있어요.)

보기: 다 보 사 수 아 알 조 집 하

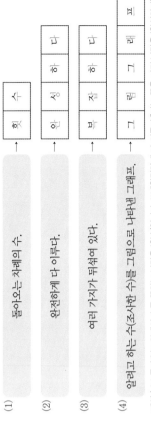

(1) 눈으로 보고 구별하여 알다. → 알 아 보 다

(2) 취미나 연구를 위하여 물건이나 자료 등을 찾아서 모으다. → 수 집 하 다

(3) 어떤 일이나 내용을 알기 위하여 자세히 살펴보거나 찾아보다. → 조 사 하 다

해설 | "눈으로 보고 구별하여 알다."라는 뜻을 가진 낱말은 '알아보다'...

2 낱말의 뜻을 바르게 말한 친구의 이름을 쓰세요.

해랑: '한눈'은 눈으로 여러 번에 볼 수 있는 범위라는 뜻이야.

병호: '정리'는 종류에 따라 차례에 있게 나누거나 모으는 것을 뜻해.

답: 병호

해설 | '한눈'은 한 번에 볼 수 있는 범위를 뜻하는 낱말입니다.

3 밑줄 친 낱말이 보기의 뜻으로 쓰인 것에 ○표 하세요.

보기: 고르다: 여럿 중에서 어떤 것을 뽑다.

(1) 바구니에 들어 있는 귤이 크기가 고르다. ( )

(2) 조사 방법 중에서 직접 눈으로 방법을 골랐다. (○)

해설 | (1)에 쓰인 '고르다'는 '높낮이, 크기, 모양 등이 차이가 없이 같다.'라는 뜻입니다.

4 밑줄 친 낱말의 쓰임이 알맞으면 ○표, 알맞지 않으면 ✕표 하세요.

(1) 방 안을 깨끗하게 <u>수집하고</u> 나니 방이 훨씬 넓어 보였다. (✕)

(2) 표를 보고 여학생과 남학생이 <u>고른</u> 운동 경기가 어떻게 다른지 이야기해 보자. (○)

(3) 모은 자료를 칠판에 붙이면 반 친구들이 자료의 내용을 <u>한눈</u>에 알아볼 수 있어서 편하다. (○)

해설 | (1) '수집하다'는 "취미나 연구를 위하여 물건이나 자료 등을 찾아서 모으다."라는 뜻이므로...

소리굽쇠

뜻 U자 모양의 쇠막대기 가운데에 자루를 단 기구.

예 소리가 나는 소리굽쇠를 물에 가까이 대면 물이 튀어 오른다.

Tip 소리굽쇠는 끝을 두드리면 일정한 높이의 음을 가진 소리가 나는 기구로, 음향을 측정하거나 악기를 조율하는 데 쓰여요.

떨리다

뜻 어떤 것이 작은 폭으로 빠르게 반복해서 흔들리게 되다.

예 종을 칠 때 소리가 나는 까닭은 종이 떨리기 때문이다.

날갯짓

뜻 날개를 아래위로 세게 움직이는 행동.

예 벌은 날갯짓이 무척 빠르다.

틀 이상의 낱말이 합쳐진 말 '짓'이 들어간 말
날갯짓은 새나 곤충이 날 때 쓰는 몸의 한 부분을 뜻하는 '날개'와 어떠한 행동을 뜻하는 '짓'이 합쳐진 낱말이야. '고갯짓'도 '고개'와 '짓'이 합쳐진 낱말이지.

조절

뜻 한쪽으로 기울지 않게 바로잡거나 알맞게 맞추는 것.

예 스피커의 소리 조절 장치를 이용해 소리의 크고 작은 정도를 조절할 수 있다.

비슷한말 조정

調 조절할 조 + 節 절도 절
→ '조(調)'의 대표 뜻은 '고르다', '절(節)'의 대표 뜻은 '마디'야.

Tip '조정'은 어떤 기준이나 상황에 맞게 바로잡아 정리하는 것을 뜻해. '친구들과 함께 여행을 가기 위해 날짜를 조정했다.'

Tip '정도'는 알맞은 행동이나 양, 어느 정도에 알맞은 것을 뜻하지.

4주차 4회

과학 교과서 어휘

수록 교과서 과학 3-2
5. 소리의 성질

다음 중 낱말의 뜻을 알고 있는 것에 ✔ 하세요.

□ 소리의 세기 □ 소리굽쇠 □ 떨리다 □ 날갯짓 □ 조절

우리는 생활하면서 다양한 소리를 듣어. 그런데 소리에도 특징이 있대. 관련된 낱말들을 배워 보면서 알아보자.

✏️ 낱말을 읽고, 부분에 알맞은 글자를 그으면서 낱말 공부를 해 보세요.

소리의 세기

이것만은 꼭!

뜻 소리의 크고 작은 정도.

예 친구에게 귓속말을 할 때와 확성기로 이야기할 때 소리의 세기는 다르다.

소리가 작다. 소리가 크다.

스피커

뜻 소리를 크게 하여 멀리까지 들리게 하는 기구.

예 스피커를 커서 음악 소리가 커졌다.

4주차 4회

과학 교과서 어휘

수록 교과서 과학 3-2
5. 소리의 성질

다음 중 낱말의 뜻을 잘 알고 있는 것에 ✓ 하세요.

□ 소리의 높낮이 □ 소리의 반사 □ 관 □ 전달되다 □ 소음 □ 방음벽

산에서 외치거나 텅 빈 체육관에서 박수를 치면 소리가 울리는 것을 들을 수 있어. 소리가 어떤 성질 때문에 울리는 걸까? 오늘 배울 낱말들 중에 그 답이 있어!

✏️ 낱말을 읽고,   부분에 밑줄을 그으면서 낱말 공부를 해 보세요.

소리의 높낮이

이것만은 꼭!

뜻 소리의 높고 낮은 정도.
예 실로폰과 같은 악기는 소리의 높낮이를 이용해 연주한다.

높은 소리를 냄.
낮은 소리를 냄.
▲ 실로폰

소리의 반사

소리의 + 反 돌이킬 반 + 射 쏠 사

뜻 소리가 나아가다가 물체에 부딪쳐 되돌아오는 성질.
예 목욕탕은 소리의 반사가 잘 일어나서 소리가 울린다.

관련 어휘 반사
'반사'는 빛이나 소리 등이 물체에 부딪쳐 방향을 반대로 바꾸는 것을 말해.

관

音 대롱 관

Tip 대롱은 둥근 모양으로 속이 빈, 길고 가느다란 막대를 못해요.

뜻 둥글고 속이 비어 있는 물건을 통틀어 이르는 말.
예 팬 플루트는 관의 길이에 따라 소리의 높낮이가 다르다.

▲ 팬 플루트

전달되다

傳 전할 전 + 達 도달할 달 + 되다

Tip '달(達)'의 대표 뜻은 '통하다'야.

뜻 신호나 자극 등이 다른 곳에 보내지거나 전해지다.
예 우리 생활에서 들리는 대부분의 소리는 공기를 통해 전달된다.

여러 가지 뜻을 가진 낱말 전달되다
'전달되다'는 "명령이나 물건 등이 다른 대상에게 전해지다."라는 뜻도 있어.
예 친구에게 보낸 편지가 잘 전달되었는지 궁금하다.

소음

騷 떠들 소 + 音 소리 음

뜻 불쾌하고 시끄러운 소리.
예 우리 주변에는 사람이 많은 곳에서 나는 소리, 공장이나 공사장에서 나는 소리 등 다양한 소음이 있다.

Tip 소음은 사람이 기분이 나쁘게 만들거나 건강을 해칠 수 있는 시끄러운 소리를 말해요.

방음벽

防 막을 방 + 音 소리 음 + 壁 벽 벽

뜻 소리가 새어 나가거나 새어 들어오는 것을 막기 위하여 설치한 벽.
예 음악실에 방음벽을 설치하면 소음을 줄일 수 있다.

▲ 차도 주변에 설치한 방음벽

확인 문제

126~127쪽에서 공부한 낱말을 떠올리며 문제를 풀어 보세요.

1 뜻에 알맞은 낱말을 글자판에서 찾아 묶으세요. (낱말은 가로(—), 세로(|) 방향에 숨어 있어요.)

❶날	갯	짓	④스	퍼	커
개	②조	절	커		쇠
고	기	가	정		다
❸떨	리	다			

❶ 날개를 아래위로 세게 움직이는 행동.
❷ 소리를 크게 하거나 작게 들리게 하는 기구.
❸ 한쪽으로 기울지 않게 바로잡거나 알맞게 맞추는 것.
❹ 어떤 것이 작은 폭으로 빠르게 반복해서 흔들리게 되다.

해설 | ❶ 날개를 아래위로 세게 움직이는 행동을 뜻하는 낱말은 날갯짓입니다. ❷ 소리를 크게 하거나 작게 들리게 하는 기구를 뜻하는 낱말은 스피커입니다. ❸ 한쪽으로 기울지 않게 바로잡거나 알맞게 맞추는 것을 뜻하는 낱말은 조정입니다. ❹ 어떤 것이 작은 폭으로 빠르게 반복해서 흔들리게 되다'라는 뜻의 낱말은 떨리다입니다.

2 낱말의 뜻에 맞게 ( ) 안에서 알맞은 말을 골라 ○표 하세요.

(1) 소리의 세기 | 소리의 (길고 짧은, (크고 작은)) 정도.

(2) 소리굽쇠 | U자 모양이 ((쇠막대기), 유리 막대기) 가운데에 자루를 단 기구.

해설 | (1) 소리의 세기는 소리의 크고 작은 정도를 말합니다. (2) 소리굽쇠는 U자 모양의 쇠막대기 가운데에 자루를 단 기구입니다.

3 밑줄 친 낱말과 뜻이 비슷한 낱말은 무엇인가요? (⑤)

소리의 세기를 조절하다.

① 거성 ② 적절 ③ 조사
④ 조심 ⑤ 조정

해설 | (1) 에어컨 온도를 알맞게 조절하였다는 내용으로, 조절과 뜻이 비슷한 조정이 들어가야 합니다. (2) 소리굽쇠는 조절과 뜻이 비슷한 낱말은 조정입니다.

4 ( ) 안에 들어갈 알맞은 낱말을 보기 에서 찾아 쓰세요.

보기
조절   조정   날갯짓
스피커

(1) 에어컨 온도를 알맞게 (조절)하였다.
(2) 새가 (날갯짓)을 멈추고 나뭇가지에 내려앉았다.
(3) 반 친구들 모두 들을 수 있도록 녹음한 소리를 (스피커)에 연결했다.

정답과 해설▶ 6쪽

128~129쪽에서 공부한 낱말을 떠올리며 문제를 풀어 보세요.

5 뜻에 알맞은 낱말을 보기 에서 찾아 쓰세요.

보기
관 소음 방음벽 소리의 반사 소리의 높낮이

(1) (소리의 높낮이): 소리의 높고 낮은 정도.
(2) (소음): 불쾌하고 시끄러운 소리.
(3) (관): 둥글고 속이 비어 있는 물건을 통틀어 이르는 말.
(4) (소리의 반사): 소리가 나아가다가 물체에 부딪쳐 되돌아오는 성질.
(5) (방음벽): 소리가 새어 나가거나 새어 들어오는 것을 막기 위하여 설치한 벽.

해설 | 소리의 높고 낮은 정도를 뜻하는 낱말은 '소리의 높낮이', 불쾌하고 시끄러운 소리를 뜻하는 낱말은 '소음', 둥글고 속이 비어 있는 물건을 통틀어 이르는 말은 '관', 소리가 나아가다가 새어 나가거나 새어 들어오는 것을 막기 위하여 설치한 벽을 뜻하는 낱말은 방음벽입니다.

6 밑줄 친 낱말의 뜻으로 알맞은 것에 ○표 하세요.

(1) 포클레인한 관 속의 공기를 통해 소리가 전달된다.
   ㉠ 명령이나 물건 등이 다른 대상에게 전해지다. ( )
   ㉡ 신호나 자극 등이 다른 곳에 보내지거나 전해지다. (○)

(2) 주석을 맞아 어려운 이웃들에게 작은 선물이 전달되었다.
   ㉠ 명령이나 물건 등이 다른 대상에게 전해지다. (○)
   ㉡ 신호나 자극 등이 다른 곳에 보내지거나 전해지다. ( )

해설 | (1) 소리가가 다른 곳에 전해진다는 내용으로, 신호나 자극 등이 다른 곳에 보내지거나 전해지다'의 뜻으로 쓰였습니다. (2) 작은 선물이 어려운 이웃에게 전해진다는 내용으로, '명령이나 물건 등이 다른 대상에게 전해지다'의 뜻으로 쓰였습니다.

7 (1)~(3)에 들어갈 낱말을 완성하세요.

도로 근처에 사는 사람들 중에는 자동차가 달리는 소리, 자동차가 경적을 울리는 소리 등에 의해 문제로 괴로워하는 사람들이 많다. 이 문제를 해결하기 위해서는 도로 근처에 방음벽을 설치하여 소리가 잘 전달되지 않도록 해야 한다.

예 (1) 소[음] (2) 방[음][벽] (3) 전[달]

정답과 해설 ▶ 62쪽

過(과)가 들어간 낱말

'過(과)'가 들어간 낱말을 읽고, [] 부분에 뜻풀이를 그으면서 낱말 공부를 해 보세요.

過 지날 과

통過 · 경過 · 過유불급 · 過소비

'과(過)'는 사람이 지나는 길에 나뉘는 배를 나타낸 글자야. '과(過)'는 사람이 지나갔음을 뜻하게 되면서 '지나다'라는 뜻을 갖게 되었어. '과(過)'는 '지나치다'의 뜻도 있어.

지나다 過

통과
通 통할 통 + 過 지날 과
뜻 어떤 장소나 배를 거쳐서 지나감.
예 마라톤 경기 때문에 경찰이 차량 통과를 막았다.

여러 가지 뜻을 가진 낱말 통과
'통과'는 시험, 검사, 심사 등에서 인정되거나 합격하는 것이라는 뜻도 있어.
예 형이 어려운 시험을 통과했다.

경과
經 지날 경 + 過 지날 과
뜻 시간이 지나감.
예 약속 시간이 삼십 분이나 경과했는데도 친구가 오지 않았다.

지나치다 過

과유불급
過 지나칠 과 + 猶 같을 유 + 不 아닐 불 + 及 미칠 급
뜻 정도를 지나친 것은 미치지 못한 것과 같다는 뜻으로, 무엇이든 지나치면 좋지 않음을 말함.
예 과유불급이라고 운동도 너무 많이 하면 몸에 좋지 않다.

과소비
過 지나칠 과 + 消 사라질 소 + 費 쓸 비
뜻 돈이나 물건 등을 지나치게 많이 써서 없애는 일.
예 마트에서 고기를 싸게 팔아서 많이 샀는데 과소비를 한 것 같다.

정답과 해설 ▶ 62쪽

美(미)가 들어간 낱말

'美(미)'가 들어간 낱말을 읽고, [] 부분에 뜻풀이를 그으면서 낱말 공부를 해 보세요.

美 아름다울 미

팔방美인 · 美술 · 美식가 · 美군

'미(美)'는 양팔을 벌리고 있는 사람과 양의 모습을 표현한 글자를 합쳐 만들었어. 아름다움을 위해 머리에 양의 장식을 한 사람을 표현한 것에서 '아름답다'라는 뜻을 갖게 되었지. '미(美)'는 '맛있다', '미국'이라는 뜻도 있어.

맛있다·미국 美

미식가
美 맛있을 미 + 食 먹을 식 + 家 집 가
뜻 맛있고 좋은 음식을 찾아 먹는 것을 즐기는 사람.
예 이 식당은 미식가들도 인정한 곳이다.

미군
美 미국 미 + 軍 군사 군
뜻 미국 군대 또는 미국 군인.
예 이모는 미군과 결혼하여 미국으로 건너갔다.

아름답다 美

팔방미인
八 여덟 팔 + 方 방향 방 + 美 아름다울 미 + 人 사람 인
뜻 어느 면으로 보아도 아름다운 사람.
예 언니는 얼굴도 예쁘고 마음씨도 고운 팔방미인이다.

미술
美 아름다울 미 + 術 재주 술
뜻 그림이나 조각처럼 눈으로 보고 느끼는 아름다움을 표현한 예술.
예 미술 시간에 유명한 화가에 대해 배웠다.

확인 문제

132쪽에서 공부한 낱말을 떠올리며 문제를 풀어 보세요.

1 뜻에 알맞은 낱말을 빈칸에 쓰세요.

(1)
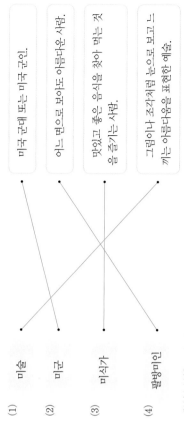

가로 열쇠 ❶ 어떤 장소나 때를 거쳐서 지나감. ❷ 시간이 지나감.
세로 열쇠 ❶ 지나는 것은 좋지 않다는 뜻인 낱말은 '경과'입니다.

(2)

가로 열쇠 ❶ 무엇이든 지나친 것은 좋지 않음.
세로 열쇠 ❶ 돈이나 물건 등을 지나치게 많이 써서 없애는 일.

해설 | (1) 어떤 장소나 때를 거쳐서 지나감을 뜻하는 낱말은 '통과', 시간이 지나감을 뜻하는 낱말은 '경과'입니다. (2) 무엇이든 지나친 것은 좋지 않다는 뜻의 낱말인 '과유불급'은 돈이나 물건 등을 지나치게 많이 써서 없애는 일을 뜻하는 과소비와는 뜻을 맞지 않습니다.

2 밑줄 친 '과'가 '지나다'의 뜻으로 쓰인 낱말에 ○표 하세요.

(1) 정과 (○)   (2) 과소비 ( )   (3) 과유불급 ( )

해설 | '과소비', '과유불급'에 쓰인 '과'는 지나치다라는 뜻입니다.

3 보기의 밑줄 친 낱말과 같은 뜻으로 쓰인 것에 ○표 하세요.

보기 | 차가 너무 빨리 열차 사거리를 통과하는 데 30분이나 걸렸다.

(1) 저 터널만 통과하면 바다가 나올 것이다. ( )
(2) 누나가 운전면허 시험에 무사히 통과했다더니 무척 기뻐했다. (○)

해설 | (2)에 쓰인 '통과'는 시험, 검사, 심사 등에서 인정되거나 합격하는 것을 뜻합니다.

4 밑줄 친 낱말을 바르게 사용하지 못한 친구의 이름을 쓰세요.

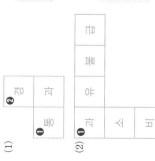

재훈: 10분 통과할 때마다 주차비를 200원씩 더 내야 해.

영진: 과유불급이라는 말처럼 몸에 좋은 음식이라도 너무 많이 먹으면 안 좋아.

세현: 과소비를 막기 위해서는 꼭 필요한 물건인지 여러 번 생각하는 태도가 필요해.

(재훈)

해설 | 재훈이는 '10분 경과할 때마다 주차비를 200원씩 더 내야 해.'라고 말해야 합니다.

133쪽에서 공부한 낱말을 떠올리며 문제를 풀어 보세요.

5 낱말의 뜻을 찾아 선으로 이으세요.

(1) 미술 —
(2) 미군 —
(3) 미식가 —
(4) 평방미인 —

- 미국 군대 또는 미국 군인.
- 어느 면으로 보아도 아름다운 사람.
- 맛있고 좋은 음식을 찾아 먹는 것을 즐기는 사람.
- 그림이나 조각처럼 눈으로 보고 느끼는 아름다움을 표현한 예술.

해설 | '미술'은 그림이나 조각처럼 눈으로 보고 느끼는 아름다움을 표현한 예술, '미군'은 미국 군대 또는 미국 군인, '미식가'는 맛있고 좋은 음식을 찾아 먹는 것을 즐기는 사람, '평방미인'은 어느 면으로 보아도 아름다운 사람을 뜻하는 낱말입니다.

6 밑줄 친 '미'가 '아름답다'의 뜻으로 쓰이지 않은 것에 ✕표 하세요.

(1) 미술 ( )   (2) 미군 (✕)   (3) 평방미인 ( )

해설 | (2) '미군'에서 '미'는 미국을 뜻합니다.

7 밑줄 친 '미'의 뜻으로 알맞은 것은 무엇인가요? (③)

① 미국   ② 음식   ③ 맛있다
④ 전문가   ⑤ 이름답다

해설 | 미식가의 '미'는 맛있다라는 뜻입니다.

8 ( ) 안에 들어갈 알맞은 낱말을 보기에서 찾아 쓰세요.

보기 | 미술   미식가   평방미인

(1) 내 친구는 날씬하고 얼굴도 예뻐서 (평방미인)(이)라는 소리를 듣는다.
(2) (미식가)(으)로 불리는 고모는 맛있는 음식을 찾아 먹는 것을 좋아한다.
(3) 선생님께서 다음 (미술) 시간에는 미래 모습을 상상하여 그리라고 하셨다.

해설 | (1) 날씬하고 얼굴도 예쁜 친구를 표현하기에 알맞은 낱말은 '평방미인'입니다. (2) 맛있는 음식을 찾아 먹는 것을 좋아하는 고모를 표현하기에 알맞은 낱말은 '미식가'입니다. (3) 미래 모습을 상상하여 그리는 미술 시간에 할 수 있는 일입니다.

4주차 어휘력 테스트

4주차 1~5회에서 공부한 낱말을 떠올리며 문제를 풀어 보세요.

낱말 뜻

1 뜻에 알맞은 낱말을 보기에서 찾아 쓰세요.

보기
| 평등 | 고르다 | 소리금속 | 복잡하다 | 관람하다 |

(1) (복잡하다): 여러 가지가 뒤섞여 있다.
(2) (고르다): 여럿 중에서 어떤 것을 뽑다.
(3) (평등): 의무, 자격 등이 차별 없이 똑같음.
(4) (관람하다): 연극, 영화, 운동 경기 등을 구경하다.
(5) (소리금속): ㅁ자 모양의 쇠막대기 가운데에 자루를 단 기구.

해설 | (1) '여러 가지가 뒤섞여 있다.'라는 뜻이 낱말은 '복잡하다'입니다. (2) '여럿 중에서 어떤 것을 뽑다.'라는 뜻이 낱말은 '고르다'입니다. (3) 의무, 자격 등이 차별 없이 똑같은 것을 뜻하는 낱말은 '평등'입니다. (4) '연극, 영화, 운동 경기 등을 구경하다.'라는 뜻이 낱말은 '관람하다'입니다. (5) ㅁ자 모양의 쇠막대기 가운데에 자루를 단 기구를 뜻하는 낱말은 '소리금속'입니다.

낱말 뜻

2 ~ 4 다음 낱말의 뜻으로 알맞은 것에 ○표 하세요.

2 수집하다
(1) 취미나 연구를 위하여 물건이나 자료 등을 찾아서 모으다. (○)
(2) 어떤 연구를 위하여 내용을 알기 위하여 자세히 살펴보거나 찾아본다. ( )

해설 | '수집하다'는 "취미나 연구를 위하여 물건이나 자료 등을 찾아서 모으다."라는 뜻이 낱말입니다. (2)는 조사하다의 뜻입니다.

3 일일이
(1) 하나씩 하나씩. (○)
(2) 하나도 빼뜨리지 않고. ( )

해설 | '일일이'는 하나씩 하나씩이라는 뜻이 낱말입니다. (2)는 '빠짐없이'의 뜻입니다.

4 통과
(1) 시간이 지나감. ( )
(2) 어떤 장소나 때를 거쳐서 지나감. (○)

해설 | 통과는 어떤 장소나 때를 거쳐서 지나감을 뜻하는 낱말입니다. (1)은 '경과'의 뜻입니다.

반대말

5 뜻이 반대인 낱말끼리 짝 지어진 것의 기호를 쓰세요.

ㄱ 감동 – 마침
ㄴ 평등 – 불평등
ㄷ 수집하다 – 모으다
ㄹ 협력하다 – 협동하다

(ㄴ)

해설 | 의무, 자격 등이 차별 없이 똑같은 것을 뜻하는 평등의 반대말은 차별이 있어 평등하지 않은 것을 뜻하는 불평등입니다. ㄱ, ㄷ, ㄹ은 뜻이 비슷한 낱말끼리 짝 지어진 것입니다.

여러 가지 뜻을 가진 낱말

6 빈칸에 공통으로 들어갈 알맞은 낱말은 무엇인가요? (②)

· 책을 종류별로 ___하였다.
· 지저분한 책상 위를 ___하였다.

① 수리 ② 정리 ③ 정지
④ 정화 ⑤ 마무리

해설 | 빈칸에 공통으로 들어갈 낱말은 '정리'입니다. "책을 종류별로 정리하였다."에 쓰인 정리는 종류에 따라 차례대로 잘 나누거나 모으는 것이고, "지저분한 책상 위를 정리하였다."에 쓰인 정리는 흐트러지거나 어수선한 상태에 있는 것을 한데 모으거나 치우는 것이라는 뜻입니다.

둘 이상의 낱말이 합쳐진 말

7 다음 낱말은 어떤 낱말이 합쳐진 것인지 쓰세요.

(1) 날갯짓 → 날개 + 짓

(2) 고갯짓 → 고개 + 짓

해설 | '날갯짓'은 날개와 짓이, '고갯짓'은 고개와 짓이 합쳐진 낱말입니다.

낱말 활용

8 ~ 10 ( ) 안에 들어갈 알맞은 낱말을 보기에서 찾아 쓰세요.

보기
| 감동 | 횟수 | 과유불급 |

8 줄어나 퇴근 시간 때에는 지하철 운행 (횟수)이/가 늘어난다.

해설 | 줄어오는 차례의 수를 뜻하는 횟수가 들어가야 합니다.

9 (과유불급)(이)라고 화분에 물을 많이 주었더니 오히려 꽃이 시들었다.

해설 | 무엇이든 지나친 것은 좋지 않다는 뜻의 과유불급이 들어가야 합니다.

10 아무리 친한 친구라도 생각이 다를 때에는 (감동)이/가 생겨 싸우기도 한다.

해설 | 의무, 자격 등이 차별 없이 똑같은 것을 뜻하는 평등이 아닌 독같은 것을 뜻하는 평등의 반대말은 차별이 있어 평등하지 않은 것을 뜻하는 불평등입니다.